하나님의 구원 이렇게 받는다!

이 지 춘 목사

북산책

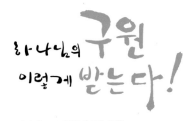

| 발행일 | 2015년 2월 16일 |
| 초판 1쇄 | 2015년 2월 16일 |

지은이	이지춘 목사
발행인	김영란
발행처	북산책

주소	경기도 파주시 교하읍 문발리 513-5
한국	070-7883-0727
미국	1- 408-515-5628
이메일	4mybook@gmail.com
홈페이지	www.bookforus.com

ISBN 979-11-85965-14-7 03230

하나님의 구원
이렇게 받는다!

하나님이 세상을 이처럼 사랑하사 독생자를 주셨으니 이는 저를 믿는 자마다 멸망치 않고 영생을 얻게 하려 하심이니라. 하나님이 그 아들을 세상에 보내신 것은 세상을 심판하려 하심이 아니요 저로 말미암아 세상이 구원을 받게 하려 하심이라. [요 3:16-17]

내가 진실로 진실로 너희에게 이르노니 내 말을 듣고 또 나 보내신 이를 믿는 자는 영생을 얻었고 심판에 이르지 아니하나니 사망에서 생명으로 옮겼느니라. [요 5:24]

너희가 거저 받았으니 거저 주어라 (마 10:8)

이 책은 전도용입니다. 다 읽으신 후에는 다른 사람에게 주어 읽도록 해주시면 감사하겠습니다. 귀하의 전도로 또 한 사람이 하나님의 구원을 받을 수도 있습니다. 꼭 도와주시기 바랍니다.

하나님의 구원 문서 선교회

New Vision Church
1201 Montague Expressway, Milpitas, CA 95035. U.S.A.
Tel : 408-719-0000
SalvationOfGod@newvisionchurch.org
www.newvisionchurch.org

추천의 글

젊은 지성인들을 향한 '하이눈'

너희는 우리의 편지라 우리 마음에 썼고 뭇 사람이 알고 읽는 바라 너희는 우리로 말미암아 나타난 그리스도의 편지니 이는 먹으로 쓴 것이 아니요 오직 살아 계신 하나님의 영으로 쓴 것이며 또 돌 판에 쓴 것이 아니요 오직 육의 마음 판에 쓴 것이라 [고린도후서 3:2-3]

제게 복음을 전하고 또 신앙에 큰 영향을 끼친 죠이선교회 선배들이 계십니다. 그들의 인격과 삶, 그리고 이것이 배어나오는 사역과 섬김은 어린 제게도 깊은 인상을 줄 만큼 아름다웠습니다. 저는 그들에게 매료되었고, '저 사람들처럼 살고 싶다….'라는 꿈을 키워왔습니다. 그들에게는 아름다움의 증거가 실천되고 구현되는 하나님 백성의 구체적인 이야기가 있었습니다. 또한, 자신들에게 이런 아름다운 도전을 준 또 다른 사람들의 풍성한 이야기가 있었습니다. 마치 어린 제게 이 선배들이 영향을 끼친 것처럼 그들도 누군가에게 매료되었고 아름다운 꿈을 키워갔던 것입니다.

'하이눈'

많은 죠이 선배들이 공통적으로 기억하는 한 분의 별명입니다. 정오 (high noon), 혹은 고전영화의 제목이 아니라 그 선배의 눈에 담은 밝은 미소에 붙여진 별명입니다. 얼마나 환한, 충만한 웰컴을 눈으로 담아낸 미소이길래 '하이눈'이라는 별명이 붙여졌을지, 직접 보지 못한 저는 그저 상상할 뿐입니다. 하지만 그 미소를 직접 접한 선배들에게 '하이눈'은 또 다른 인생, 죄와 사망의 권세 아래 노예로 사는 운명이 아닌 전혀 다른 삶으로의 초대였습니다. 하나님과의 평화, 하나님의 기쁨, 하나님 자녀의 삶이 바로 그것이었습니다. 그들에게 '하이눈'은 평범한 환대가 아닌 새로운 삶으로의 초대였습니다. 바울의 말처럼 성령 하나님께서 한 사람의 인생에 직접 써 내려간 사랑과 기쁨의 놀라운 편지였습니다.

이쯤 되면 '하이눈'이 누군지 궁금해지시죠? 바로 『하나님의 구원 이렇게 받는다!』의 저자 이지춘 목사님입니다. 저는 이 목사님을 직접 뵌 적은 없습니다. 하지만 오랜 죠이 사진 속에서 보는 목사님의 멋진 미소는, 그리고 그의 '하이눈'으로 인하여 얼마나 많은 이들이 예수님을 개인의 구주와 주님으로 만났는지는 잘 알고 있었습니다. 직접 뵙고 교제할 수 없는 아쉬움을 이번에 출간되는 책을 통해 채울 수 있었습니다. 이 책은 하나님의 최고이며 최선인 예수 그리스도를 통한 구원에 대한 책입니다. 하나님께서 어떤 계획을 세우셨으며 이를 위해 어떤 수고와 노력을 하셨는지, 그리고 그 마지막 완성은 어떤 모습인지 잘 설명해주고 있습니다. 복음 전도자의 열정이, 공학 교수의 치밀함이, 그리고 무엇보다 '하이눈'의 따뜻함이 한 상 가득 차려진 만찬입니다. 기쁨을 잃어가는, 아니 기쁨이 무엇인지 한 번도 경험하지 못하고 무한 경쟁에 내몰리는 이 시대의 젊은 영혼들에게 이 책은 또 다른 '하이눈'이 될 것입니다. 또한, '하이눈'으로 보내심을 받았지만 맛도 생명력도 잃어버린 또 다른 '하이눈', 우리 모두에게 깊은 자성과 도전을 줄 것입니다.

죠이선교회 대표 이윤복 목사

황혼의 인생 고백

  나의 오랜 동역자인 이지춘 목사님은 서울공대를 졸업하고 미국에 유학하였습니다. 공학박사를 취득한 후 교수로 재직하다가 하나님의 부르심을 받고 산호세에서 교회를 개척하여 1,500명이 넘는 큰 교회로 성장하게 하신 분이십니다.

  이 책은 인생의 온갖 고난을 겪은 이지춘 목사님이 인생의 황혼에서 고백하는 그의 신앙의 결정체이자 구원의 간증서입니다. 또한, 저자는 이 책에서 하나님의 구원이란 무엇이며, 사람이 왜 하나님의 구원이 필요하며, 하나님의 구원을 받기 위해서는 어떻게 해야 하는지를 논리정연하게 정리해서 설명합니다. 그러므로 누구든지 이 책을 읽으면 하나님과 성경과 하나님의 구원에 대해서 알게 되고 하나님의 구원을 받게 될 것입니다. 특히 예수님을 믿으려고 하지만 잘 믿어지지 않는 사람들에게 이 책을 읽게 하면, 그들이 하나님의 사랑을 깨닫고 주 예수를 믿을 수 있겠다고 확신하며 전도 대상자에게 줄 수 있는 최고의 선물용 서적이 될 것으로 기대합니다.

  추천자도 인생의 종말을 맞이하여 하나님의 사랑과 성경 말씀의 귀중함과 주 예수를 믿어 구원함을 받는 지식을 전하는 한 권의 책을 찾아서 추천하고 싶었는데, 이지춘 목사님이 그런 책을 출간하였습니다. 저는 이 책을 읽고 크게 감동하여서, 이렇게 귀한 책을 세상에 나오도록 이지춘 목사님을 구원하시고 크신 은혜를 베풀어주신 우리 주 하나님께 영광을 돌립니다. 본서 추천의 말을 쓰게 됨을 영광으로 알고, 믿음으로 살기 원하는 모든 분에게 기쁘고 즐거운 마음으로 적극적으로 추천합니다.

침례신학대학교 총장 역임 이정희 목사

모든 이들에게 하나님의 복음이

이지춘 목사님의 삶은 복음 전도자의 삶입니다. 구령의 열정으로 복음 전하는 사역을 위해 평생을 걸어오신 걸음의 모든 흔적이 고스란히 이 책에 담겨져 있습니다.

이 책에 담긴 한 영혼을 향해 드려진 기도와 눈물, 복음 전도의 말씀들은 복음 전도가 어렵다고 말하는 이 시대에 또 하나의 귀한 도구로 쓰임 받게 될 것입니다.

이 책을 읽고 전하는 모든 이들이 하나님 나라 확장의 귀한 도구로 드려지기를 기대합니다. 복음 전도가 어렵습니까? 그러면 이 책을 읽으십시오. 그리고 전하고, 나누십시오!

한국 지구촌교회 담임 진재혁 목사

공허한 삶에 생명 되신 예수님을

인생의 가장 중요한 과제는 예수 그리스도를 만나고 생명을 얻는 것입니다. 이것이 행복의 원천이요 풍성한 삶의 기초입니다. 그럼에도 아직 많은 사람이 이것을 누리지 못한 채 공허한 삶을 반복하고 있습니다. 그들의 닫힌 마음 때문이기도 하지만, 이 문제를 구체적으로 설명해 주는 자가 없었기 때문입니다. 물론 복음에 대한 여러 가지 책자가 있습니다만 사람들의 마음을 파고들 만큼 설득력 있는 안내서는 흔치 않습니다.

이런 의미에서 이 책은 참으로 유익하고 이 시대에 꼭 필요한 책이라고 믿습니다. 이 책은 단순한 복음 전도서가 아닙니다. 규격화된 신학 서적도 아닙니다. 저자의 체험이 담겨 있는 산 간증이요, 저자의 평생 목회 체험을 함축해 놓은 말씀의 엑기스입니다. 이 목사님은 공학을 전공하신 체계적인 분입니다. 정확한 자료와 논리를 통해 상대를 설득하는 힘이 그에겐 있습니다. 동시에 그분은 인생의 고난과 아픔을 통해 하나님을 만난 체험적 신앙의 소유자입니다. 그래서 그분의 말씀은 가슴을 파고드는 감동이 있습니다. 이 두 가지 요소가 이 책의 전반에 걸쳐 잘 나타나 있습니다.

저자는 믿음의 본질에 대해, 인간의 본질에 대해 어느 누구보다 명확하고 체계적인 논리로 설명합니다. 그러나 이것이 단순한 논리가 아닌, 성경에 기초한 말씀의 논리이기에 스스로 고개를 끄덕이게 합니다. 구원에 대한 부분도 복음의 핵심을 잘 짚어주고 있습니다. 주님을 영접하는 구체적 과정과 구원의 확신까지 자세하게 다루어 주고 있기에 불신자이건 믿는 자이건 유익을 누리게 합니다.

이지춘 목사님은 미국 산호세에서의 사역을 통해 이미 큰 목회적 열매를 남기셨는데, 이번에 이 책을 통해 더 많은 사람에게 복음의 영향력을 끼치게 되어 너무나 감사합니다. 이 책이 복음에 목말라하는 수많은 사람에게 생수가 되리라고 믿습니다. 후배의 한 사람으로서 이 목사님의 귀한 저서를 자랑스럽게 여기며 기꺼이 추천하는 바입니다.

로스앤젤스 한인침례교회 담임　박성근 목사

모든 독자에게 뉴비전이 임하기를

이지춘 목사님은 사십 대에 전기 공학 교수에서 목사로 전향하여 신학과 목회를 전공하고, 뉴비전교회를 개척하여 성경공부와 말씀을 바탕으로 괄목할 만한 교회로 성장시키고 은퇴하신 분입니다.

이지춘 목사님은 본서에서 그의 탁월한 가르치는 은사와 논리적인 연구력을 바탕으로, 하나님의 구원에 대하여 영원 전부터 시작된 하나님의 계획과 그 마지막 성취까지 누구나 이해할 수 있도록 구체적으로 쉽게 설명했습니다.

이 책은 복음을 자세히 쉽게 설명한 전도용 문서로써 하나님의 구원을 받고자 하는 사람이나, 예수님을 왜 믿어야 하는지를 좀 더 확실하게 알기를 원하는 모든 사람들에게 많은 도움과 새로운 비전을 제시하게 될 것입니다. 현재 뉴비전교회의 담임 목사로서 모든 분에게 이 책을 적극적으로 추천하는 바입니다.

산호세 뉴비전교회 담임   이진수 목사

프롤로그

사람은 누구나 죽는다. 그 후에는 어떻게 되는가? 아무도 모른다. 다만, 서로 다른 여러 주장이 있을 뿐이다. 성경은 천국과 지옥이 있다고 한다. 이 세상에 사는 동안에 예수를 믿으면 하나님의 구원을 얻어 천국에서 영생하고, 그렇지 않으면 지옥에 간다고 한다. 천국에서의 신분과 상급도 모두 지상에서의 준비와 관계가 있다고 한다. 더욱 심각한 것은 오직 예수 안에서만 하나님의 구원이 있다고 한다. 이 주장은 객관적인 측면에서 보면 참으로 독단적이고 배타적이며 터무니없게 느껴지는 말이다.

하지만, 만일 이것이 사실이라면, 모든 사람이 지금 당장 예수님을 믿어야 한다. 사람이 한 번 죽는 것은 확실한데 언제 죽을지 모르기 때문이다. 그러므로 이 세상 모든 사람은 성경의 주장이 정말 사실인지 아닌지에 대하여 지대한 관심을 가지고 알아볼 수 있는 만큼 알아보아야 할 것이다. 그리고 만일 성경의 주장이 사실이라면, 성경의 가르침을 따라 영생을 위한 준비를 철저하게 해 놓아야 한다. 이는 "무엇을 먹을까? 무엇을 입을까? 어떻게 하면 인생살이에서 성공할까?"에 관심을 갖는 것보다 훨씬 더 중요한 선결 문제다.

사실 어떻게 보면 이 책은 한 인간으로서 공학도로서 학자로서 또한, 목사로서 수많은 역경과 고난을 헤쳐 가며 하나님을 더듬어 찾아온 저자가, 인생의 황혼에서 지는 해를 바라보며 고백하는 한평생의 간증이자 확신이며 간절한 개인적인 권면이라고도 할 수 있다. 이 책을 읽는 모든 분이 마음 문을 열고, 시간이 걸리더라도 차근차근 심사숙고하며 끝까지 읽어주시기를 바란다.

항상 희생적인 지원을 아끼지 않는 나의 사랑하는 아내와 자녀들, 물심 양면으로 후원해 주신 뉴비전교회 성도님들과 교역자님들, 이 책을 추천해 주신 여러 목사님, 그리고 개인적인 수고로 많은 도움을 주신 이성원, 장관혁 두 분 안수 집사님과 많은 수고와 파격적인 출판조건으로 이 책을 만드신 김영란 「북산책」 출판사 대표님과 세심한 최종 교정을 보아주신 고영주 형제님께 지면을 통해 심심한 감사를 드린다. 하나님께서 이 모든 분을 축복해 주시기 바라며, 이 책이 무한한 하나님의 영광을 드러내고, 독자들에게는 하늘나라에 준비된 영광스럽고 아름다운 구원을 받게 되는 계기가 되기를 간절히 기원한다.

뉘엿뉘엿 저무는 인생의 황혼을 바라보며
2015년 2월 1일
이지춘 목사

차례

제1장

하나님의 아들

예수 그리스도를 믿는 믿음

죽음의 공포

죽음은 말만 들어도 두렵다. 다른 사람이 죽는 것을 보거나 나와 관계 없는 죽음을 이야기할 때는 그다지 심각한 공포를 느끼지 못하지만, 실상 죽음이 자신의 죽음이 되면 이야기는 달라진다. 더구나 서서히 다가오는 죽음의 공포는 말로 다 할 수 없다.

나는 1960년 교통 고등학교를 졸업하고 서울대학교 공과대학 전기과에 입학했다. 그때 서울대학병원에서 신체검사를 했는데, 폐 사진을 찍을 차례가 되자 몹시 긴장됐다. 분명히 결핵 말기로 판명이 날 텐데, 건강은 둘째 치고 입학이 취소될까 봐 그것이 더 걱정이었다.

내가 처음으로 결핵 환자라는 것을 알게 된 것은 중학교 2학년 때 학교에서 집단 검진을 받은 후였다. 담임선생님께서 나의 검진 결과를 보고 폐에 이상이 있다며 빨리 큰 병원에 가서 엑스레이 사진을 찍어보라고 하셨다. 순간 나는 결핵으로 뼈만 남은 채 죽어간 친척 어른이 떠오르며 공포에 휩싸였다. 그날 오후 내내 두려운 마음으로 신문을 돌렸고 집으로 돌아가서도 두려움은 계속되었지만 부모님께는 그 엄청난 사실을 말씀드리지 못했다. 당시 결핵을 치료하는 '파스'라는 약이 있었지만, 우리 집 전 재산을 팔아도 파스 한 병 살 수 없는 형편이기 때문이었다.

"하나님, 저의 병을 치료해주세요. 살려주세요."

그때 내가 할 수 있었던 것은 오직 기도뿐이었다. 나는 매일 새벽 기도회에 나가 간절히 기도하고 아침 신문을 돌린 후 등교하곤 했다.

고등학교 때는 다행히 신체검사 없이 입학했으나 매일 12시경이면 따끈따끈하게 열이 오르고 온몸이 나른해졌다. 피곤해서 그러려니 했는데 하루는 목이 칼칼하고 가슴이 답답해서 기침을 하고 가래를 뱉었더니 피가 섞여 나왔다. '아! 이제 나는 죽는구나!' 하는 생각에 등골이 오싹해지는 공포가 몰려왔으나 별도리가 없었다. 부모님은 여전히 가난했고 의지할 사람은 아무도 없었다. 비통한 심정으로 내가 매달릴 분은 오직 한 분 하나님뿐이었다.

그러니 대학에 입학한 후에도 신체검사 결과가 걱정되는 것은 당연했다. 기도는 계속하면서도 몇 달이 지나도록 연락이 없자 답답해서 견딜 수가 없었다. 아무래도 병원에 가서 엑스레이 사진을 찍어봐야 할 것 같아 가정교사를 해서 모은 돈을 들고 병원을 찾아갔다.

"하나님, 저를 좋은 대학에 보내 주시고 가정교사 자리도 마련해 주시니 너무너무 감사합니다. 하지만 하나님! 저는 결핵을 앓고 있습니다. 제 병을 꼭 고쳐 주시옵소서. 하나님, 저는 꼭 살고 싶습니다." 나는 엑스레이 사진을 찍으며 내내 기도했다.

사진을 찍은 후 결과를 기다리는 며칠 동안도 계속 두려운 마음으로 기도했다. 결과를 보러 가는 날은 더욱 불안해서 기도가 더욱 간절해 졌다.

"기적을 행하시는 하나님, 제게도 기적을 베풀어 주시옵소서. 하나님! 저를 불쌍히 여기시고 제 병을 고쳐 주시옵소서. 저는 살고 싶습니다." 마음에는 두려움이 가득했고 기도는 간절했다.

병원 계단을 오르는 내 발걸음은 천근만근 무거웠고, 마음은 마치 사형 선고를 받으러 가는 죄수의 심정이 되었다. 간호사의 안내를 받아 의사 사무실에 들어가니 벽에 몇 개의 엑스레이 사진이 걸려 있었다. 내 사진이었다. 의사는 사진을 자세히 살펴보며 말했다.

"학생, 혹시 결핵 앓은 적이 있소?" '

"네."

"무슨 약을 먹었소?"

"아무 약도 먹지 않았습니다."

"그래요? 정말 아무 약도 쓰지 않았단 말이오?"

의사는 믿기지 않는다는 표정이라, 나는 나의 사정을 간단히 설명했다.

"기적이오. 하늘이 학생의 병을 치료해 주셨소. 학생의 폐는 양쪽에 모두 구멍이 여러 개 뚫려 있소. 여기 하얀 콩알 같은 점들이 보이죠? 그런

데 이게 완전히 치료되었소. 이제 학생의 폐는 보통 사람들의 폐보다 훨씬
더 건강하오. 염려 말고 돌아가시오."

"하나님! 감사합니다. 감사합니다."

순간 내 입에서 나온 말은 오직 이 한마디뿐이었다. 뜨거운 눈물이 주
르르 흘러내렸다. 하나님께서 나에게 기적을 베푸신 것이다.

나는 병원 문을 나서며 두 주먹을 불끈 쥐고 감격에 차서 날아갈 듯이
가벼운 발걸음으로 층계를 뛰어 내려오며 외쳤다.

"아! 이제 나는 살았다! 죽지 않는다! 하나님! 감사합니다."

그날은 내 인생에서 가장 기쁜 날이었다. 내 입에서는 찬송과 감사와 기도가
쉴 새 없이 터져 나왔다. 끈질기게 나를 괴롭히던 죽음의 공포가 아침 안개 걷
히듯 깨끗하게 걷히고, 찬란한 앞날이 환하게 밝아오는 것 같았다. 할 수만 있
다면 온 동네 사람들과 친지들을 불러놓고 잔치라도 베풀고 싶었다.

영생복락의 기쁨

사람은 언젠가는 반드시 죽는다. 이것이 인생이다. 그것도 고작해야 백
년 안팎 사는 것을 끝없는 근심과 걱정, 고생과 수고로 지친 삶을 살다가
죽는다. 그럼에도 불구하고 간간이 주어지는 이런저런 기쁨과 만족, 욕망
과 소망, 죽음에 대한 두려움 때문에 사람들은 조금이라도 더 오래 살기
를 원한다. 간혹 시한부 판정을 받았다가 완치된 사람들의 기뻐하는 모습
을 보면, 살아 있다는 것이 얼마나 귀한 축복인지 새삼스레 깨닫게 된다.
언젠가는 반드시 죽어야 하는 인생도 조금이라도 더 오래 살게 되면 이렇
게 기뻐하거든 하물며 만일 사람이 영원히 죽지 않고 영생할 수 있다면,
그것도 근심도 걱정도 없고, 눈물도 고생도 없는 곳에서 최상의 축복을 누
리며 살 수 있다면 그 기쁨은 도대체 얼마나 클까? 그런 일이 실제로 있을
수 있다면 얼마나 좋을까? 이에 대하여 놀랍게도 성경은 실제로 그럴 수
있다고 단정하며 긍정적인 주장을 한다.

> [요한복음 3:16] 하나님이 세상을 이처럼 사랑하사 독생자를 주셨으니 이
> 는 저를 믿는 자마다 멸망치 않고 영생을 얻게 하려 하심이니라

이 구절은 '복음의 축소판'이라고도 할 수 있는 예수님의 말씀으로, 이 말씀을 분석해 보면 아래와 같다.

1. 사람을 사랑하시는 하나님이 실존하신다.

여기서 '세상'은 원어의 '코스모스'라는 말로 이 세상 만물을 의미하지만, 본문에서는 '세상 모든 사람'을 뜻한다. 또한, '이처럼 사랑하사'라는 말은 '너무나 사랑하셔서'라는 뜻이다. 그러므로 이 말씀은 세상 사람을 사랑하는 인격적인 하나님이 실존한다는 것을 전제로 한다. 왜냐하면, 만일 하나님이 실존하지 않으면 실존하지 않는 하나님이 세상 사람들을 사랑할 수 없고 독생자를 보낼 수도 없기 때문이다.

2. 예수님은 하나님의 독생자이시다.

'독생자'는 '하나님과 능력이나 성품이나 뜻이나 모든 면에서 한결같이 하나님과 똑같은 단 한 분밖에 없는 하나님의 아들'이라는 뜻으로, 예수님 자신을 의미한다. 그러므로 사람의 자녀가 사람인 것과 같이 하나님의 '독생자'도 하나님이시다. 이 하나님과 예수님과의 관계는 물질세계에서는 존재하지 않는 사람이 이해할 수 없는 관계일 가능성이 많다. 오직 가장 근사한 사람의 언어로 표현하자면 아버지 하나님과 아들 하나님과의 관계일 것이다. 그래서 예수님은 자신도 하나님이시면서도 자신을 '독생자'라고 하신 것이다.

성경은 예수님이 사람의 모양으로 육신이 되어 이 세상에 오신 독생자 하나님이시라고 한다.

> [요 1:1] 태초에 말씀이 계시니라 이 말씀이 하나님과 함께 계셨으니 이 말씀은 곧 하나님이시니라

> [요 1:14] 말씀이 육신이 되어 우리 가운데 거하시매 우리가 그 영광을 보니 아버지의 독생자의 영광이요 은혜와 진리가 충만하더라

3. 예수님만이 하나님께서 보내신 구세주이시다.

하나님께서 예수님을 보내신 이유는 세상 사람들을 구원하시기 위함이다. 세상에 자기가 구세주라는 사람들이 많지만, 실상은 한 분밖에 없는 하나님의 독생자이신 예수님만이 하나님께서 보내신 구세주라는 말씀이다.

4. 예수를 믿으면 멸망하지 않고 영생을 얻는다.

여기서 '멸망'은 원어로 '아폴루미'인데 건물을 새로 짓기 위하여 이전 건물을 폭파할 때 완전히 파괴된 마지막 상태, 즉 '파괴의 전 과정이 끝난 상태'를 의미하며 지옥을 상징한다.

또한, '저를 믿는 자마다 멸망치 않고 영생을 얻게 하려 하심이니라.' 하는 말은 사람들이 지금 멸망을 향하여 가고 있지만, 하나님의 독생자를 믿으면 멸망하지 않고 영생을 얻게 된다는 뜻이다.

'영생'은 '영원한 생명'이라는 뜻인데, '영원'은 원어로 '아이오니오스'이며 '하나님의 영원성과 같은 본질적으로 끝이 없는 것'이라는 뜻이다. '생명'은 원어의 '조이'로 '하나님께서 가지신 그리고 그의 독생자 안에 있는 생명으로서 예수 믿는 사람들에게 나누어 주시는 생명'을 의미한다.

그러므로 예수님께서 말씀하신 '영생'은 단순히 '영원한 생명'이 아니라 '본질적으로 하나님의 영원성과 동질적인 하나님이 가지신 영원한 생명'이다. 이는 참으로 상상을 초월하는 놀라운 생명이다. 또한, '영생을 얻는

다.'는 말은 이와 같은 영생을 가지고 천국에서 하나님과 함께 영생복락을 누리게 된다는 뜻이다.

이것이 1세기에 이 지구촌에 사셨던 예수님의 말씀이자 곧 성경 전체의 핵심이다.

이 말씀을 살펴보면, 하나님이 세상을 이처럼 사랑하셨다거나, 그의 독생자를 주셨다거나, 멸망을 받거나 하나님이 주시는 영생을 얻거나 하는 것들은 모두 하나님께서 하시는 것이다. 오직 사람이 할 수 있는 것은 예수님을 믿는 믿음에 대한 선택뿐이다. 예수님을 믿으면 멸망하지 않고 영생을 얻는 것이요, 믿지 않으면 멸망한다는 것이다.

성경의 주장은 이처럼 매우 단순하지만 대단히 위압적이다. 터무니없는 주장 같기도 하지만, 만일 이것이 사실이라면, 모든 사람은 지금 당장 예수님을 믿어야 한다. 예수님을 믿고 영생을 얻어야 한다. 멸망은 심히 두렵고 떨리는 고통을 수반하며, 사람은 누구나 반드시 죽되 언제 죽을지 모르기 때문이다.

그러므로 프롤로그에서도 말한 바와 같이 세상 모든 사람은 성경의 주장이 정말 사실인지 아닌지에 대하여 지대한 관심을 가지고 알아볼 수 있는 만큼 알아보아야 할 것이다. 그리고 만일 성경의 주장이 사실이라면, 성경의 가르침을 따라 영생을 위한 준비를 철저하게 해 놓아야 한다. 이는 '무엇을 먹을까? 무엇을 입을까? 어떻게 하면 인생살이에서 성공할까?'에 관심을 갖는 것보다 훨씬 더 중요한 선결문제다.

그러나 실제로는 너무나 많은 사람이 세상살이에 분주하고, 세상의 쾌락과 부귀영화와 권세 공명을 누리며 사는데 몰두하여 성경에서 말하는 영생에 대해 관심이 없다. 그러다가 늙고 기력이 쇠하여 죽음이 임박하면, 속절없는 인생을 탄식하며 그동안 쌓아놓은 모든 것들을 이 세상에 남겨두고 영생에 대한 준비 없이 세상을 떠나게 된다. 만일 성경의 주장이 사실이라면, 이들은 결코 돌이킬 수 없는 큰 실수를 범하는 것이다.

따라서 본 장에서는 성경의 주장에 대하여 그 진실 여부를 알아보고자 한다. 이를 위해서는 무엇보다도 먼저 '예수를 믿는 믿음이란 무엇인가?'를 철저하게 규명해야 한다. 왜냐하면, 지금까지 설명한 바와 같이 성경에서 말하는 영생의 가장 핵심적인 요소가 '예수를 믿는 믿음'이기 때문이다. 그러므로 본 장에서는 예수를 믿는 믿음이란 무엇이고, 예수를 믿을 수 있는 이유가 무엇이며, 영생에 대한 성경의 주장이 과연 사실인지에 대해 차근차근 알아보기로 한다. 이러한 문제를 자세히 살펴보려면 먼저 '믿음'이 무엇인가를 온전히 이해해야 한다. 예수님을 믿는 믿음도 역시 믿음이기 때문이다.

1. 믿음이란 무엇인가?

믿음의 정의

믿음이란 무엇인가? 믿음을 어떻게 정의할 수 있을까? 의심하지 않는 마음? 그렇다면 의심이란? 믿지 못하는 마음?

민중 에센스 국어사전은 믿음을 '꼭 그렇게 여겨서 의심하지 않는 마음'으로, 의심은 '믿지 못해 이상히 여기는 마음이나 생각'으로 정의하고 있다. 믿음과 의심의 정의가 돌고 돌아 혼란스럽다.

위키피디아에서 믿음은 '어떤 증명 되지 않은 제안이나, 어떤 사실일 것이라고 가정된 것을 사실이라고 받아들이는 정신적인 상태'라고 정의했고, 옥스퍼드 사전은 '어떤 선포된 말이 사실이라고 받아들이거나, 어떤 것이 존재한다고 받아들이는 것'이라고 했다.

신약성경은 믿음이란 '피스티스'라는 말로, '하나님과 예수님과 영적인 것들에 대하여 듣고, 그 들은 것이 사실이라고 확신하는 것'이라고 설명한다. 이해가 쉽지 않지만, 이 정의들을 분석해 보면 아래와 같은 믿음의 특성을 알 수 있다.

1. 믿음은 대상이 있어야 한다.

국어사전에서 믿음이란 '꼭 그렇게 여겨서 의심하지 않는 마음'이라고 정의했는데 그렇다면, 꼭 그렇게 여겨 줄 믿음의 대상이 있어야 믿음이 성립한다고 할 수 있다. 따라서 믿음의 첫째 특성은 믿음의 대상이 있어야 한다.

2. 믿음은 여겨주는 것이다.

'여겨준다'는 말은 사실인지 아닌지 모르지만, 사실로 여겨 받아들인다는 뜻이다. 그러므로 믿음이란 믿음의 대상이 사실인지 아닌지 모를 때만 적용된다. 믿음의 이러한 특성은 '증명되지 않은 제안이나 가정'이라는 위키피디아의 정의에서도 잘 나타난다. 신약성경 원어의 정의도 역시 믿음의 이러한 특성을 확실하게 반영한다. 이것이 믿음의 둘째 특성이다.

3. 믿음이나 의심은 자신의 결정이다.

믿음이나 의심이나 그 대상이 사실인지 아닌지 모르는 것은 같다. 차이점은 믿음은 믿는 사람 자신의 긍정적인 반응이요 의심은 부정적인 반응이다. 믿는 정도가 100%면 확신, 50%면 반신반의, 0%면 완전한 의심이다. 이러한 결정은 누구나 이해할 만한 객관성이 있는 결정일 수도 있고, 주관적일 수도 있다. 어쨌든 결정은 어디까지나 믿거나 의심하는 그 사람 자신의 결정이다.

본서에서의 믿음과 의심의 정의

믿음: 믿음이란 '믿음의 대상을 체험적으로 알지 못하지만, 사실로 여겨 받아들이는 것'으로 정의한다.

의심: 의심이란 '믿음의 대상을 체험적으로 알지 못하지만, 사실이 아니라고 여겨 거절하는 것'으로 정의한다.

믿음의 대상

믿음은 믿음의 대상이 있어야 성립한다. 과거와 현재, 미래까지 우리가 체험적으로 알고 있지 않은 모든 것들이 믿음의 대상이다. 또한, 믿음의 대상이 무엇이냐에 따라 믿음의 의미도 조금씩 달라진다. 믿음의 대상에 대해 좀 더 구체적으로 다음과 같은 질문을 해 볼 수 있다.

> ◆ '어떤 역사적 사건을 믿는다.'는 뜻은 무엇인가?
> ◆ '어떤 과학적 사실을 믿는다.'는 뜻은 무엇인가?
> ◆ '어떤 사람을 믿는다.'는 뜻은 무엇인가?
> ◆ '예수님을 믿는다.'는 뜻은 무엇인가?

우리가 어떤 역사적 사건을 믿는다는 것은 오직 그 사건을 직접 체험한 사람들의 기록이나, 그 사건에 관계되는 유적 같은 것들로 보전된 정보를 진실한 정보라고 여겨 받아들이는 것이다. 사람들은 이것을 역사 지식이라고 하는데, 이것은 역사적 사건에 대한 정보의 기억일 뿐 체험적으로 아는 지식은 아니다.

믿음의 대상이 과학일 때도 마찬가지여서, 어떤 과학적 사실을 믿는다는 것은 그 과학적 사실에 대한 정보를 사실로 여겨 받아들이는 것이다. 사람들은 이것을 과학 지식이라고 말하지만, 이도 역시 본질적으로는 과학적 사실에 대한 정보의 기억일 뿐 체험적으로 아는 지식은 아니다. 믿었던 과학적 사실을 실험을 통하여 체험적으로 확인하고 아는 지식이 되면 그 과학적 사실은 이미 믿음의 대상이 될 수 없다. 확실하게 알기 때문이다.

믿음의 대상이 사람이면 믿음의 특성이 좀 달라져서, 그 사람에 대한 기록이나 인적사항 등 정보를 믿는다기보다는 그 사람의 인격을 믿는 믿음을 의미하는 경우가 더욱 많다. 즉 '그 사람의 인격이 참되고 진실하여 그 사람의 모든 말과 행동이 다 거짓 없는 사실이라고 여겨 받아들인다.'는 뜻이다. 인격이 그 사람의 본질을 나타내기 때문이다.

그러면 믿음의 대상이 예수님일 때, '예수님을 믿는다.'는 뜻, 즉 '예수님을 믿는 믿음'이란 무엇일까?

예수님을 믿는 믿음

예수님은 1세기에 이 지구상에 실제로 사셨던 분이다. 따라서 예수님을 믿는 믿음이란 그분의 인격을 믿는 믿음이다. 예수님의 모든 언행과 더불어 요한복음 3장 16절의 말씀을 진실로 여겨 받아들이는 것이다. 즉, 예수님은 실존하시는 하나님의 독생자이시며(이하 하나님의 아들) 사람을 구원하기 위하여 오신 구세주이심을 사실로 여겨 받아들이는 것이다. 이 믿음이 예수님을 믿는 올바른 믿음이라는 것을 마태복음 16장 13절 이하에서 확인할 수 있다.

> [마 16:13-17] 예수께서 가이사랴 빌립보 지방에 이르러 제자들에게 물어 가라사대 사람들이 인자를 누구라 하느냐, 가로되 더러는 세례 요한, 더러는 엘리야, 어떤 이는 예레미야나 선지자 중의 하나라 하나이다, 가라사대 너희는 나를 누구라 하느냐, 시몬 베드로가 대답하여 가로되 주는 그리스도시요 살아 계신 하나님의 아들이시니이다, 예수께서 대답하여 가라사대 바요나 시몬아 네가 복이 있도다 이를 네게 알게 한 이는 혈육이 아니요 하늘에 계신 내 아버지시니라

여기서 '인자'는 예수님께서 자신을 부르실 때 사용하신 인칭 대명사였다. 예수님께서 제자들에게 "너희는 나를 누구라 하느냐?"하신 질문에 베드로가 "주는 그리스도시요 살아 계신 하나님의 아들이시니이다."라고 대답하자, 예수님은 "이를 네게 알게 한 이는 혈육이 아니요 하늘에 계신 내

아버지시니라."고 하셨다. 이 말씀은 예수님을 그리스도시며 살아 계신 하나님의 아들로 믿는 믿음이 하나님과 예수님께서 인정하시는 예수님을 믿는 믿음이라는 것이다. 여기서 '그리스도'는 원어로 '크리스토스'라는 말로 세상을 구원하는 구세주라는 말이다.

그러나 예수님을 믿는 믿음은 단순히 예수님이 그리스도시며 살아 계신 하나님의 아들이심을 사실로 여겨 받아들이는 지적 인정만을 의미하는 것은 아니다. 진정으로 예수님이 그리스도시며 살아계신 하나님의 아들이심을 믿는다면 순종이 따라야 한다. 야고보서 2장에 보면 "(14) 내 형제들아 만일 사람이 믿음이 있노라 하고 행함이 없으면 무슨 이익이 있으리요 그 믿음이 능히 자기를 구원하겠느냐, (26) 영혼 없는 몸이 죽은 것같이 행함이 없는 믿음은 죽은 것이니라."라고 했다. 이 말씀에 의하면 살아 있는 믿음, 곧 하나님께서 인정하시는 믿음은 행함이 있어야 한다는 것이다. 여기서 '행함'이란 원어의 '에르곤' 즉 '일'이라는 말로써 말씀을 따라 행하는 '순종'을 의미한다.

야고보서 2장 21절을 보면 이 "행함"이 "순종"을 의미하는 것을 확인할 수 있다. "우리 조상 아브라함이 그 아들 이삭을 제단에 드릴 때에 행함으로 의롭다 하심을 받은 것이 아니냐, 네가 보거니와 믿음이 그의 행함과 함께 일하고 행함으로 믿음이 온전케 되었느니라." [약 2:21]

이 말씀 가운데 '행함'이란 말도 역시 '에르곤'으로 아브라함이 하나님의 말씀을 따라 그 아들 이삭을 제단에 드리는 '순종'을 의미한다. 그러므로 예수님을 믿는 믿음은 반드시 '순종'이 수반되어야 한다. 이 순종은 억지나 종교적인 순종이 아니라 예수님을 믿음으로 기쁘게 그의 말씀을 따라 행하는 믿음의 순종을 말한다.

그러므로 예수님을 믿는 믿음이란 '예수님은 그리스도시요 살아계신 하나님의 아들이시며 그 인격이 참되고 진실하여 그의 모든 언행 심사가 다 거짓이 없는 사실이라고 여겨 받아들이고, 그 말씀을 따라 믿음으로 행하여 순종하는 것'이라고 정의할 수 있다. 이것이 성경이 정의하는 '예수님을 믿는 믿음'이다. 이 믿음을 가진 자들은 멸망하지 않고 영생을 얻게 된다고 성경은 말한다.

이것이 일반적인 사람을 믿는 믿음과 예수님을 믿는 믿음과의 차이점이다. 일반적인 사람을 믿는 믿음은 그 사람이 하나님의 아들인 것과 그리스도라는 것을 믿는 믿음을 요구하지 않는다. 그러나 예수님을 믿는 믿음은 예수님이 그리스도시며 살아 계시고 실존하시는 하나님의 독생자이심을 믿는 믿음과 믿음의 순종을 요구한다.

바로 이점이 많은 사람이 사실로 여겨 받아들이기를 거부하는 점이다. 하나님이 없다고 주장하는 사람들도 많을 뿐만 아니라, "어떻게 사람이 하나님의 아들이 될 수 있으며 그리스도가 될 수 있겠느냐? 왜 예수님만이 그리스도, 즉 구세주냐? 예수님을 성인 중 한 분이나 기독교 창시자로는 인정할 수 있으나 하나님의 독생자 그리스도로는 받아들일 수 없다."는 것이다.

이와 같은 반응을 무리라고만 할 수 없는 것은, 예수님을 믿는 믿음은 보통 사람을 믿는 일반적인 믿음이 아닌 사람의 이성과 지성을 초월하는 믿음이기 때문이다. 따라서 이러한 믿음을 가지려면 더욱 객관적이고 논리적인 확실한 증거가 요구되는 것은 당연하다.

믿음의 형성

정상적으로는 믿음의 대상이 상식이나 이성과 지성으로 납득이 되고 자기가 체험한 것들과 비슷한 것들은 별로 어려움 없이 믿을 수 있어야 한다. 믿음이란 결국 위키피디아의 정의처럼 정신적인 상태여서, 이성과 지성이 크게 작용하기 때문이다.

그러나 이 세상 현실은 거짓과 사기가 너무나 많아서, 오랜 세월을 통하여 신실함이 확인된 경우를 제외하고는 사람의 이성과 지성의 범위 내에 있는 것들이라도 쉽게 믿으려고 하지 않고, 믿을 만한 합리적이고도 논리적인 증거를 요구한다. 그러한 증거 없이 아무나 혹은 아무거나 무조건 믿기에는 세상이 너무 위험하고 사람은 너무나 사악하다. 그래서 사람은 불신의 벽이 두껍고, 세파에 시달리고 많이 속은 사람일수록 그 벽은 더욱 두껍다. 그러므로 대부분의 사람은 믿을만한 증거를 요구하고, 제시된 증거가 이해가 되고 믿을만하면 믿음을 갖기 시작한다. 이해가 되면 될수록, 믿을만하면 할수록, 손익관계가 확실하면 할수록, 믿음은 더욱 강하게 형성되어 받아들이게 된다.

믿음의 대상이 예수님일 때에는 믿음의 형성이 더욱 어렵다. 예수님의 주장은 사람의 이성과 지성을 초월하며, 또한, 믿을 만한 증거도 영적인 것을 많이 포함하기 때문이다. 그러므로 예수님을 믿으려면 더욱 확실한 증거가 제시되어야 한다. 믿을만한 증거를 요구하지 않고 예수님을 믿는 사람들도 많지만, 대개는 예수님을 믿을 만한 증거가 확실히 제시되고 이해가 확실해질수록 그 믿음도 더욱 확실해진다.

믿음의 결과

믿음에 관한 또 하나 중요한 사실은, 믿음의 결과가 사실로 나타나느냐 아니냐는 믿는 사람의 믿음 자체에 있지 않고 믿음의 대상이 사실이냐 아니냐에 의해 결정된다는 것이다. 천오백 년대에 로마 교황청은 갈릴레오의 지동설을 부인하고 그를 핍박했지만, 사람들이 어떻게 믿든지 상관없이 지구는 공전하고 있었던 것과 같은 원리다. 믿음 그 자체보다 더 중요한 것은 믿음의 대상이다. 그래서 제시된 증거를 보고 그 믿음의 대상이 사실인지 아닌지를 분별할 수 있는 지혜는 대단히 중요하다. 이 원리는 모든 믿음의 대상에 적용되며 예수님을 믿는 믿음도 마찬가지다.

그렇다면 예수님을 믿을 수 있게 하는 합리적이고도 논리적인 증거는 과연 무엇일까?

2. 하나님의 아들 예수 그리스도

예수님의 주장

요한복음 3장 16절의 예수님 말씀은 오늘날에도 쉽게 믿을 수 있는 주장이 아니지만, 예수님 생존 당시에도 마찬가지였다. 당시의 유대인들은 하나님을 철저하게 믿었으나 예수님이 하나님께서 보내신 그리스도시며 하나님의 아들이라는 사실을 믿을 수 없었다. 그 이유는 사람이 어떻게 인류를 구원하는 그리스도가 될 수 있고 지극히 거룩하신 하나님의 아들이 되며, 어떻게 하나님일 수 있느냐는 것이었다. 그러나 예수님께서는 인격을 가지신 하나님의 실존과, 자신이 그리스도시며 하나님의 아들이심을 계속 주장하셨다.

> [눅 22:65-71] 이 외에도 많은 말로 욕하더라, 날이 새매 백성의 장로들 곧 대제사장들과 서기관들이 모이어 예수를 그 공회로 끌어들여, 가로되 네가 그리스도여든 우리에게 말하라 대답하시되 내가 말할지라도 너희가 믿지 아니할 것이요, 내가 물어도 너희가 대답지 아니할 것이니라, 그러나 이제 후로는 인자가 하나님의 권능의 우편에 앉아 있으리라 하시니, 다 가로되 그러면 네가 하나님의 아들이냐 대답하시되 너희 말과 같이 내가 그니라 저희가 가로되 어찌 더 증거를 요구하리요 우리가 친히 그 입에서 들었노라 하더라

본문은 대제사장들과 서기관들이 예수님을 재판하는 장면으로, 그 목적은 예수님이 자기가 하나님의 아들이라고 주장하는 말을 예수님으로부터 직접 들어보겠다는 것이었다.

당시 유대인들이 엄격하게 지키는 유대인의 율법에 의하면, 어떤 사람이 자기가 지극히 거룩하고 존귀하신 하나님의 아들이라고 주장하는 것은 하나님께 대한 용서받을 수 없는 불경건으로 사형에 해당하는 중한 죄였다.

이와 같은 생사의 갈림길에서 예수님은 장로들이 "다 가로되 그러면 네가 하나님의 아들이냐?"라고 구체적으로 묻는 질문에, "너희 말과 같이 내가 그니라."라고 자신이 하나님의 아들이라고 분명하게 말씀하셨다. 이 때문에 예수님은 숯불을 뒤집어쓰는 것 같은 고통스러운 가시관을 쓰게 되었고, 채찍에 맞아 살점이 떨어져 나가 피가 흐르는 아픔과 십자가에 묶여 양발 양손에 대못이 박히는 형언할 수 없는 심한 고난을 받고 죽임을 당하셨다. 그러므로 예수님께서 자신이 하나님의 아들이라고 말씀하신 것은 생사를 건 심각한 주장이었다.

여기서 아주 중요한 질문은 그러면 '예수님은 진실로 하나님의 아들이셨느냐?'하는 것이다. 만일 그렇다면 예수님의 말씀은 믿을 수 있는 말씀이다. 하나님 아들의 말씀이기 때문이다. 그러나 예수님이 하나님의 아들이 아니었다면 그의 말은 믿을 수 없는 거짓말이다. 그러므로 과연 예수님이 진실로 하나님의 아들이셨는가 하는 질문은 심각하고도 중요한 질문이 아닐 수 없다.

예수님은 진실로 하나님의 아들이었을까?

[요 2:13-22] 유대인의 유월절이 가까운지라 예수께서 예루살렘으로 올라가셨더니, 성전 안에서 소와 양과 비둘기 파는 사람들과 돈 바꾸는 사람들의 앉은 것을 보시고, 노끈으로 채찍을 만드사 양이나 소를 다 성전에서 내어 쫓으시고 돈 바꾸는 사람들의 돈을 쏟으시며 상을 엎으시고, 비둘기 파는 사람들에게 이르시되 이것을 여기서 가져가라 내 아버지의 집으로 장사하는 집을 만들지 말라 하시니, 제자들이 성경 말씀에 주의 전을 사모하는 열심이 나를 삼키리라 한 것을 기억하더라, 이에 유대인들이 대답하여 예수께 말하기를 네가 이런 일을 행하니 무슨 표적을 우리에게 보이겠느뇨, 예수께서 대답하여 가라사대 너희가 이 성전을 헐라 내가 사흘 동안에 일으키리라, 유대인들이 가로되 이 성전은 사십육 년 동안에 지었거늘 네

가 삼 일 동안에 일으키겠느뇨 하더라, 그러나 예수는 성전된 자기 육체를 가리켜 말씀하신 것이라, 죽은 자 가운데서 살아나신 후에야 제자들이 이 말씀하신 것을 기억하고 성경과 및 예수의 하신 말씀을 믿었더라

유월절은 유대인들이 매년 지키는 오순절과 장막절과 더불어 3대 절기 중 첫 번째 절기다. 사람과 모든 짐승의 첫 태생이 죽는 재앙에서 하나님 의 은혜로 이스라엘 백성은 죽음을 면하고, 노예 생활을 하던 애굽에서 해 방되어 모세의 인도를 따라나오게 된 것을 기념하여 유대인의 달력으로 1 월(아빕월) 14일부터 시작하는 축제이다. 유대인의 달력으로 1월 14일 해 지면서부터 15일 해지기까지는 유월절, 그 후의 7일은 무교절이라고 하며 유월절과 무교절을 합쳐서 유월절 또는 무교절이라고 했다 (유월절이라 하는 무교절이 가까우매 [눅 22:1]).

유월절은 유대인들에게 큰 절기였으며 많은 사람이 예루살렘으로 순례 를 왔다. 순례자들은 하나님께 드릴 제물을 먼 여행길에 집에서부터 가져 오기 어려우므로, 예루살렘에 와서 사서 드렸는데 이것이 큰 장사거리였 다. 이것을 본 대제사장들은 상인들을 제단이 가까운 성전 뜰 안에서 장사 하게 하고 그 이익의 얼마를 받아 치부하며 부유하게 살았다. 또한, 20세 이상의 남자 유대인들에게는 성전세를 받았는데, 당시 일반적으로 통용되 던 드라크마가 아닌 세겔이라는 특별한 돈으로만 받았다. 따라서 순례자 들은 예루살렘에 와서 성전세를 위해 환전을 했는데, 환전 수수료가 적지 않은 이익을 남기는 장사여서 이것 역시 성전 뜰 안에서 하도록 면허를 주 고 대제사장들이 배당이익을 챙겼다.

예수님께서 예루살렘에 순례를 오셨다가 이를 보시고 분개하여 성전을 청소하는 모습이 본문의 내용이다. 여기서 예수님은 성전을 가리켜 "내 아 버지의 집으로 장사하는 집을 만들지 말라."고 하셨다. 당시 유대인들은 모두 예루살렘 성전은 하나님께서 거하시는 곳이라고 믿었으므로, 이 말

씀은 곧 "나는 하나님의 아들이다."라는 의미였다. 장사하던 사람들이 쫓겨나간 것을 보면 예수님께서 저들이 감히 저항할 수 없는 권위로 저들을 쫓아내셨던 것 같다. 이에 장사하던 사람들이 "네가 이런 일을 행하니 무슨 표적을 우리에게 보이겠느뇨?"라고 항의했다. 여기서 '표적'은 원어의 '세메이온'으로 '하나님의 권위와 능력을 나타내 보이는 기적적인 행위'를 의미한다. 당연한 반응이었다. 이에 대하여 예수님은 "너희가 이 성전을 헐라 내가 사흘 동안에 일으키리라."고 하시며 그들이 도저히 이해할 수 없는 말로 답하셨다.

이 말씀은 "너희가 내가 하나님의 아들임을 증거하는 표적을 보기 원하느냐? 진실로 내가 하나님의 아들임을 증거하는 표적을 너희에게 보이리라. 내가 죽임을 당하고 장사한 지 사흘 만에 부활할 것인데, 너희가 이것을 보거든 내가 하나님의 아들인 것을 믿어라. 이 표적은 이 세상에서 누구도 할 수 없는 오직 하나님의 아들만이 할 수 있는 표적이다."라는 뜻이었다. 예수님은 자기가 하나님의 아들임을 증명하는 증거로 부활의 표적을 보여 주실 것을 여러 번 말씀하셨다.

예수님이 약속한 표적

[마 12:38-40] 그 때에 서기관과 바리새인 중 몇 사람이 말하되 선생님이여 우리에게 표적 보여주시기를 원하나이다, 예수께서 대답하여 가라사대 악하고 음란한 세대가 표적을 구하나 선지자 요나의 표적 밖에는 보일 표적이 없느니라, 요나가 밤낮 사흘을 큰 물고기 뱃속에 있었던 것같이 인자도 밤 낮 사흘을 땅속에 있으리라

[마 16:1-4] 바리새인과 사두개인들이 와서 예수를 시험하여 하늘로서 오는 표적 보이기를 청하니, 예수께서 대답하여 가라사대 너희가 저녁에 하늘이 붉으면 날이 좋겠다 하고, 아침에 하늘이 붉고 흐리면 오늘은 날이 궂

겠다 하나니 너희가 천기는 분별할 줄 알면서 시대의 표적은 분별할 수 없
느냐, 악하고 음란한 세대가 표적을 구하나 요나의 표적 밖에는 보여 줄 표
적이 없느니라 하시고 저희를 떠나가시다

위의 두 성경 말씀을 보면 당시 종교계의 주류를 이루고 있었던 서기관
과 바리새인들, 그리고 사두개인들과 같은 사람들은 계속해서 예수님께 하
늘에서 오는 표적, 즉 예수님께서 하나님의 아들임을 증명하는 표적을 요구
했다.

사실 예수님께서는 많은 기사와 이적을 행하여 보이셨다. 병든 자를 고
치셨고, 갈릴리 호수의 풍랑을 말씀으로 명하여 잔잔케 하셨으며, 보리떡
다섯 개와 물고기 두 마리로 남자 오천 명과 수많은 여자와 아이들을 배불
리 먹이고도 열두 광주리가 남는 기적을 행하셨다. 심지어는 눈먼 자를 보
게 하며 죽은 자를 살리시기도 하셨다. 그래도 유대인들은 그 기적들을 예
수님이 하나님의 아들이라는 것을 증명하는 증거로 받아들일 수 없었다.
과거 하나님의 선지자들도 그와 같은 기적들을 이미 많이 행했기 때문이
었다. 그래서 유대의 관원들과 종교 지도자들은 만일 예수님이 자기가 선
지자 중에 하나라고 주장한다면 그 주장은 별 무리 없이 받아 주겠지만,
진정 하나님의 아들이라는 주장은 받아들일 수 없었던 것이다. 따라서 과
거 어떤 선지자들도 할 수 없었던 오직 하나님 아들만이 하실 수 있는 확
실한 그런 표적을 행하여 보여주지 않으면 믿을 수 없다는 것이었다. 이
요구는 유대인들의 입장에서 보면 당연한 것으로 그들의 요구에 예수님께
서는 요나의 표적을 보여주시겠다고 하셨다.

요나의 표적이란 구약성경에 나오는 요나라는 선지자가, 이방 나라 앗
시리아의 니느웨라는 성에 가서 회개를 선포하라는 하나님의 명령을 싫어
하여, 반대 방향인 다시스로 배를 타고 도망가다가 풍랑을 만나 바다에 던
져져 삼 일 밤낮을 큰 물고기 뱃속에 있다가 나와, 니느웨 성에 가서 회개

를 선포하여 니느웨 사람들이 구원 받게 한 기적을 말한다.

표적을 구하는 유대인들에게 요나가 삼 일간 물고기 뱃속에 있다가 나온 것처럼, 예수님도 죽임을 당한 후 장사 되어 삼 일간 무덤에 있다가 살아나는 부활을 그들이 요구하는 표적으로 보여주시겠다는 의미였다. 물론 당시 유대인들은 예수님께서 무슨 말씀을 하시는지 전혀 알 수가 없었을 것이다. 자신이 하나님의 아들이라고 주장하는 정신 나간 젊은이의 말로 여겨 무시하고 지나쳤을 것이다. 예수님께서는 자신이 죽임을 당하고 삼 일 만에 부활할 것을 제자들에게도 말씀해 주었다.

> [마 16:21] 이때로부터 예수 그리스도께서 자기가 예루살렘에 올라가 장로들과 대제사장들과 서기관들에게 많은 고난을 받고 죽임을 당하고 제 삼 일에 살아나야 할 것을 제자들에게 비로소 가르치시니

> [마 17:22-23] 갈릴리에 모일 때에 예수께서 제자들에게 이르시되 인자가 장차 사람들의 손에 넘기워, 죽임을 당하고 제 삼 일에 살아나리라 하시니 제자들이 심히 근심하더라

이제 중요한 것은, 과연 예수님이 정말 죽임을 당하고 장사 되었다가 삼 일 만에 부활하셨느냐는 것이다. 이 질문에 성경은 아래와 같이 답한다.

> [고전 15:3-8] 내가 받은 것을 먼저 너희에게 전하였노니 이는 성경대로 그리스도께서 우리 죄를 위하여 죽으시고, 장사지낸 바 되었다가 성경대로 사흘 만에 다시 살아나사, 게바에게 보이시고 후에 열두 제자에게와, 그 후에 오백여 형제에게 일시에 보이셨나니 그중에 지금까지 태반이나 살아 있고 어떤 이는 잠들었으며, 그 후에 야고보에게 보이셨으며 그 후에 모든 사도에게와, 맨 나중에 만삭되지 못하여 난 자 같은 내게도 보이셨느니라

이 말씀은 예수님의 부활 사건 후에 폭발적으로 성장하는 예루살렘 교

회와 성도들을 살기등등하여 핍박하던 바울이라는 사람이, 나중에 예수님의 사도가 되어 고린도 교회에 보낸 편지의 한 부분이다.

여기서 바울 사도는 "예수님의 부활은 역사적인 사건이다. 내가 체험했고 그 증인이다."라고 말하고 있지만, 믿을만한 증거를 제시하지 않는 한 그의 모든 주장은 그저 바울 사도 개인의 말에 불과하다.

그렇다면 과연 바울 사도의 말이 거짓이 아니라는 것을 증명하는 오늘날 우리가 보고 믿을 수 있는 증거가 있을까? 있다면 그것은 무엇일까? 만일 바울 사도의 말이 진실이라는 것을 밝힐 수 있는 증거물이 있어서 오늘날 우리가 우리의 이성과 지성으로 그 증거물을 확인할 수 있고, 또 확인한 결과 바울 사도의 말이 진실이었다는 것을 확신할 수 있다면 예수님의 부활이 진실로 역사적인 사건이었다는 것을 확신할 수 있을 것이다. 그렇게 되면 예수님이 진실로 하나님의 아들이셨다는 것을 믿을 수 있게 되고, 우리는 예수님을 믿는 믿음을 가질 수 있게 될 것이다.

물론 예수님의 부활이 역사적인 사건이었다는 것을 증명하는 증거물이 제시되더라도 그 증거를 믿지 않을 수도 있다. 그것은 어디까지나 믿음은 주관적인 판단이고 개인적인 선택이기 때문이다. 그러나 그 결과에 대한 책임은 그렇게 선택한 사람만이 지게 될 것이다. 여기에 진실과 거짓을 구별할 줄 아는 지혜의 중요성이 있다. 그러면 다시 본론으로 돌아가서 바울 사도의 말이 거짓이 아닌 진실이라는 것을 믿을 수 있는 증거는 무엇일까? 바울 사도는 자기 말이 거짓이 아닌 진실이라는 것을 어떻게 증거하고 있을까?

바울 사도가 증거하는 예수님의 부활

[행 9: 1-9] 사울이 주의 제자들을 대하여 여전히 위협과 살기가 등등하여 대제사장에게 가서, 다메섹 여러 회당에 갈 공문을 청하니 이는 만일 그

도를 좇는 사람을 만나면 무론 남녀하고 결박하여 예루살렘으로 잡아오려 함이라, 사울이 행하여 다메섹에 가까이 가더니 홀연히 하늘로서 빛이 저를 둘러 비추는지라, 땅에 엎드러져 들으매 소리 있어 가라사대 사울아 사울아 네가 어찌하여 나를 핍박하느냐 하시거늘, 대답하되 주여 뉘시오니이까 가라사대 나는 네가 핍박하는 예수라, 네가 일어나 성으로 들어가라 행할 것을 네게 이를 자가 있느니라 하시니, 같이 가던 사람들은 소리만 듣고 아무도 보지 못하여 말을 못하고 섰더라, 사울이 땅에서 일어나 눈은 떴으나 아무것도 보지 못하고 사람의 손에 끌려 다메섹으로 들어가서, 사흘 동안을 보지 못하고 식음을 전폐하니라

[행 22: 1-16] 부형들아 내가 지금 너희 앞에서 변명하는 말을 들으라 하더라, 저희가 그 히브리 방언으로 말함을 듣고 더욱 종용한지라 이어 가로되, 나는 유대인으로 길리기아 다소에서 났고 이 성에서 자라 가말리엘의 문하에서 우리 조상들의 율법의 엄한 교훈을 받았고 오늘 너희 모든 사람처럼 하나님께 대하여 열심하는 자라, 내가 이 도를 핍박하여 사람을 죽이기까지 하고 남녀를 결박하여 옥에 넘겼노니, 이에 대제사장과 모든 장로들이 내 증인이라 또 내가 저희에게서 다메섹 형제들에게 가는 공문을 받아 가지고 거기 있는 자들도 결박하여 예루살렘으로 끌어다가 형벌받게 하려고 가더니, 가는데 다메섹에 가까왔을 때에 오정쯤 되어 홀연히 하늘로서 큰 빛이 나를 둘러 비춰매, 내가 땅에 엎드러져 들으니 소리 있어 가로되 사울아 사울아 네가 왜 나를 핍박하느냐 하시거늘, 내가 대답하되 주여 뉘시니이까 하니 가라사대 나는 네가 핍박하는 나사렛 예수라 하시더라, 나와 함께 있는 사람들이 빛은 보면서도 나더러 말하시는 이의 소리는 듣지 못하더라, 내가 가로되 주여 무엇을 하리이까 주께서 가라사대 일어나 다메섹으로 들어가라 정한 바 너희 모든 행할 것을 거기서 누가 이르리라 하시거늘, 나는 그 빛의 광채를 인하여 볼 수 없게 되었으므로 나와 함께 있는 사람들의 손에 끌려 다메섹에 들어갔노라, 율법에 의하면 경건한 사람으로 거기 사는 모든 유대인들에게 칭찬을 듣는 아나니아라 하는 이가, 내게 와 곁에 서서 말하되 형제 사울아 다시 보라 하거늘 즉시 그를 쳐다보았노라, 그가 또 가로되 우리 조상들의

하나님이 너를 택하여 너로 하여금 자기 뜻을 알게 하시며 저 의인을 보게 하시고 그 입에서 나오는 음성을 듣게 하셨으니, 네가 그를 위하여 모든 사람 앞에서 너의 보고 들은 것에 증인이 되리라, 이제는 왜 주저하느뇨 일어나 주의 이름을 불러 세례를 받고 너의 죄를 씻으라 하더라,

[행 26: 9-18] 나도 나사렛 예수의 이름을 대적하여 범사를 행하여야 될 줄 스스로 생각하고, 예루살렘에서 이런 일을 행하여 대제사장들에게서 권세를 얻어 가지고 많은 성도를 옥에 가두며 또 죽일 때에 내가 가편 투표를 하였고, 또 모든 회당에서 여러 번 형벌하여 강제로 모독하는 말을 하게 하고 저희를 대하여 심히 격분하여 외국 성까지도 가서 핍박하였고, 그 일로 대제사장들의 권세와 위임을 받고 다메섹으로 갔나이다, 왕이여 때가 정오나 되어 길에서 보니 하늘로서 해보다 더 밝은 빛이 나와 내 동행들을 둘러 비추는지라, 우리가 다 땅에 엎드러지매 내가 소리를 들으니 히브리 방언으로 이르되 사울아 사울아 네가 어찌하여 나를 핍박하느냐 가시채를 뒷발질하기가 네게 고생이니라, 내가 대답하되 주여 뉘시니이까 주께서 가라사대 나는 네가 핍박하는 예수라, 일어나 네 발로 서라 내가 네게 나타난 것은 곧 네가 나를 본 일과 장차 내가 네게 나타날 일에 너로 사환과 증인을 삼으려 함이니, 이스라엘과 이방인들에게서 내가 너를 구원하여 저희에게 보내어, 그 눈을 뜨게 하여 어두움에서 빛으로, 사단의 권세에서 하나님께로 돌아가게 하고 죄사함과 나를 믿어 거룩케 된 무리 가운데서 기업을 얻게 하리라 하더이다

위의 세 성경 말씀을 종합해 보면, 다메섹 도상에서 예수님이 보이셨을 때 바울 사도의 일행이 모두 빛을 보았고 땅에 엎드려졌으며 소리를 들었으나, 예수님께서 바울 사도에게 히브리 방언으로 말씀하신 소리는 들을 수 없었고, 또한 바울 사도는 그 빛으로 인하여 앞을 볼 수 없게 되었다는 것을 알 수 있다. 실로 신비한 사건이었다. 사도행전은 누가 복음을 기록한 누가가 계속해서 예수님의 부활과 승천부터 바울 사도가 로마 감옥에 투옥될 때까지 그리스도의 복음이 어떻게 예루살렘에서부터 유대와 사마리아와 로마까지 전파되었는지 그 과정을 기록한 책이다.

의원이었던 누가는 바울 사도의 2차 선교여행 때부터 바울과 동행했다. 바울 사도가 순교하기 직전에 자기의 사랑했던 제자 디모데에게 "누가만 나와 함께 있느니라."[딤후 4:11]고 한 것을 보면 누가는 바울 사도가 순교할 때까지 그와 함께 있었던 것을 알 수 있다. 누가는 여러 해 바울과 선교여행에 동행하면서 바울 사도로부터 그가 어떻게 그리스도인이 되었고, 왜 그렇게 다른 사도들보다 더 많이 수고하는지 자세히 들었을 것이다. 또 실제로 바울 사도가 매 맞고 모욕당하고 멸시 천대를 받으며, 굶고 헐벗고 감옥에 투옥되면서도 포기하지 않고 복음을 전하는 것을 목격했을 것이다. 그는 바울 사도의 삶을 직접 보아온 산 증인이었다.

사도행전 9장 1절 이하의 기록에 의하면, 예수님이 하나님의 아들이셨다는 것을 사울이 알게 된 것은, 이론이나 추리, 혹은 다른 사람들의 말을 듣고 믿은 믿음이 아니라 자신이 직접 체험하여 알게 된 것이다. 그것은 요지부동한 체험으로, 그후 사울은 '큰 자'라는 뜻의 사울이라는 이름을 '작은 자'라는 뜻의 바울로 개명하고 이방인들에게 복음을 전하는 사도가 되었다. 그는 환난과 핍박과 고난과 모욕을 당하면서도 굴하지 아니하고 "예수님은 하나님의 아들이시다. 예수를 믿으면 죄 사함을 받고 구원을 얻는다."라고 복음을 전하며, 세 번씩이나 멀고 험한 이방인들의 세계를 여행하며 선교했다.

바울 사도가 3차 선교여행을 마치고 예루살렘에 들어갔을 때 그를 알아본 유대인들이 그를 죽이려고 성전 밖으로 끌고 나가 때렸다. 당시 예루살렘 치안을 담당했던 로마의 천부장이 예루살렘이 소란하다는 소식을 듣고 달려와, 바울을 체포하여 영문 안으로 데리고 들어가려고 했다. 그때 바울이 천부장의 허락을 얻어 유대인들에게 자기가 부활하신 예수님을 만난 체험을 간증한 내용이 사도행전 22장에 기록되어 있다.

이 간증에서 바울 사도는 자기가 유대인으로 태어나서 당시 가장 명성 있는 율법학자 중의 한 사람이었던 가말리엘 율법사의 문하생으로 공부했고, 유대교 율법의 엄한 교육을 받았으며, 예수 믿는 사람들을 핍박해 죽이기까지 했다고 말했다. 그러나 다메섹으로 도망간 예수 믿는 사람들을 잡으러 가는 도중에 홀연히 빛 가운데 임하신 예수님을 만나 예수님의 사도가 되어, 예수님의 명을 따라 이방인들에게 예수님을 증거하는 사람이 되었다고 했다.

바울 사도의 간증을 보면 그가 유대인들에게 맞아 죽을 폭행을 당하면서도 다른 변명은 하지 않고, 오직 자기가 부활하신 예수님을 만났고 예수님 때문에 이방인의 사도가 되었다고 했다. 개인의 영달이나 종교 전파를 위해서가 아닌 오직 예수 그리스도 때문이었다.

이 사건 때문에 바울 사도는 지중해 연안의 항구 도시인 가이샤라에 투옥되었다. 그로부터 약 2년 후, 로마 시민이었던 바울 사도가 로마 황제에게 재판받기를 원했기 때문에 황제에게 보낼 분명한 죄목을 정할 목적으로 지방 재판이 열렸다. 그때 그를 재판하는 로마의 분봉왕들 앞에서 자기가 부활하신 예수님을 만난 체험을 또다시 간증했다. 위의 두 간증을 보면 그는 계속해서 부활하신 예수님을 직접 만난 체험담을 이야기했고, 예수님이 그를 증인으로 보내셨기 때문에 고난과 환난과 핍박을 받는 오늘도 예수님을 증거한다는 내용이다. 참으로 힘 있는 간증이다.

그러나 엄격히 말하면 이러한 간증들은 어디까지나 바울 사도의 개인적인 체험담으로, 그것이 사실이라는 것을 증명하는 객관성 있는 증거는 되지 못한다. 오늘날에도 천국과 지옥에 갔었다는 사람들의 이런저런 간증들이 많으나 그들의 간증이 사실이라는 것을 증명하는 객관적인 증거가 없는 한, 그들의 간증은 어디까지나 개인의 체험담에 불과하다. 바울 사도의 간증을 사실로 믿을 수 있으려면 믿을 만한 객관적인 증거물이 있어야 한다.

그러면 바울 사도의 간증이 사실이라는 것을 믿을 수 있게 하는 객관성 있는 증거는 무엇일까? 그의 즉각적인 변화된 삶이다.

바울 사도는 부활하신 예수님을 만난 체험만으로 끝나거나 말로만 부활하신 예수님을 만나 보았다고 한 것이 아니라, 그 후 바울 사도의 삶은 즉시 극적으로 완전히 변했다. 교회를 핍박했던 것을 후회하고 교회를 사랑하고 아끼며, 예수님을 주님으로 모시고 예수님의 종이 되어 예수님의 명령에 죽기까지 순종했다. 누가는 바울 사도의 즉시로 변화된 삶을 이렇게 기록했다.

[행 9:19-25] 사울이 다메섹에 있는 제자들과 함께 며칠 있을새, 즉시로 각 회당에서 예수의 하나님의 아들이심을 전파하니, 듣는 사람이 다 놀라 말하되 이 사람이 예루살렘에서 이 이름 부르는 사람을 잔해하던 자가 아니냐 여기 온 것도 저희를 결박하여 대제사장들에게 끌어가고자 함이 아니냐 하더라, 사울은 힘을 더 얻어 예수를 그리스도라 증명하여 다메섹에 사는 유대인들을 굴복시키니라, 여러 날이 지나매 유대인들이 사울 죽이기를 공모하더니, 그 계교가 사울에게 알려지니라 저희가 그를 죽이려고 밤낮으로 성문까지 지키거늘, 그의 제자들이 밤에 광주리에 사울을 담아 성에서 달아 내리니라

[행 9:28-30] 사울이 제자들과 함께 있어 예루살렘에 출입하며, 또 주 예수의 이름으로 담대히 말하고 헬라파 유대인들과 함께 말하며 변론하니 그 사람들이 죽이려고 힘쓰거늘, 형제들이 알고 가이사랴로 데리고 내려가서 다소로 보내니라

이 기록을 보면 바울 사도는 예수님을 만난 후 즉시 예수님이 하나님의 아들이심을 증거했고, 이로 인하여 한때 바리새파 유대인들에게 영웅이었던 그는 그들이 죽이고자 하는 표적이 되었다. 그럼에도 불구하고 그는 예수님이 하나님의 아들이심을 증거하기를 쉬지 않았고, 더 나아가서 그가 가졌던 자랑스럽고 소중했던 모든 것들을 아낌없이 버렸다. 그는 고생과 수고를 마다하지 않고 이방인의 세계를 누비며 예수님을 전하는 사람이 된 것이다.

[빌 3:4-9] 그러나 나도 육체를 신뢰할 만하니 만일 누구든지 다른 이가 육체를 신뢰할 것이 있는 줄로 생각하면 나는 더욱 그러하리니, 내가 팔 일 만에 할례를 받고 이스라엘의 족속이요 베냐민의 지파요 히브리인 중의 히

브리인이요, 율법으로는 바리새인이요 열심으로는 교회를 핍박하고 율법의 의로는 흠이 없는 자로라. 그러나 무엇이든지 내게 유익하던 것을 내가 그리스도를 위하여 다 해로 여길뿐더러, 또한 모든 것을 해로 여김은 내 주 그리스도 예수를 아는 지식이 가장 고상함을 인함이라 내가 그를 위하여 모든 것을 잃어버리고 배설물로 여김은 그리스도를 얻고, 그 안에서 발견되려 함이니 내가 가진 의는 율법에서 난 것이 아니요 오직 그리스도를 믿음으로 말미암은 것이니 곧 믿음으로 하나님께로서 난 의라

[고후 11:23-31] 저희가 그리스도의 일군이냐 정신없는 말을 하거니와 나도 더욱 그러하도다 내가 수고를 넘치도록 하고 옥에 갇히기도 더 많이 하고 매도 수없이 맞고 여러 번 죽을 뻔하였으니, 유대인들에게 사십에 하나 감한 매를 다섯 번 맞았으며, 세 번 태장으로 맞고 한번 돌로 맞고 세 번 파선하는데 일주야를 깊음에서 지냈으며, 여러 번 여행에 강의 위험과 강도의 위험과 동족의 위험과 이방인의 위험과 시내의(도시의) 위험과 광야의 위험과 바다의 위험과 거짓 형제 중의 위험을 당하고, 또 수고하며 애쓰고 여러 번 자지 못하고 주리며 목마르고 여러 번 굶고 춥고 헐벗었노라, 이 외의 일은 고사하고 오히려 날마다 내 속에 눌리는 일이 있으니 곧 모든 교회를 위하여 염려하는 것이라, 누가 약하면 내가 약하지 아니하며 누가 실족하게 되면 내가 애타지 않더냐, 내가 부득불 자랑할진대 나의 약한 것을 자랑하리라, 주 예수의 아버지 영원히 찬송할 하나님이 나의 거짓말 아니하는 줄을 아시느니라

바울 사도는 예수님을 위하여 자기에게 소중했던 개인적인 것들을 모두 배설물과 같이 여기고 버렸을 뿐만 아니라, 이방인들에게 예수님을 증거하기 위하여 23가지나 되는 극심한 고난과 고통을 받았다고 했다. 오늘날 우리가 상상할 수 없는 극심한 고생이었다. 현대 그리스도인들은 예수를 믿으면 범사가 잘되고 강건하게 될 것이라는 기대를 많이 한다. 그런 관점에서 보면 바울 사도는 예수 믿고 나서 완전히 철저하게 망한 사람이다. 예수님 때문에 결혼도 못 하고 가정이 없으니 대를 이을 자식도 없었

다. 청년일 때는 유명한 가말리엘 선생 밑에서 훈련을 받아 장래가 촉망되고, 사회적으로나 종교적으로 영향력 있던 지도자들에게 인정받아 찬란하게 뜨는 별이었다. 하지만 결국은 예수님 때문에 두들겨 맞고 감옥에 갇히고, 굶고 헐벗고 추위에 떨며 노숙하고 잠 못 자며 수많은 죽을 고비를 넘겼다. 오늘날 예수 믿으면 바울 사도처럼 된다고 하면 예수 믿을 사람이 과연 몇 사람이나 될지 의문이다. 그럼에도 불구하고 예수님께 원망 불평 한마디도 없이 고난 중에도 자신보다 교회를 더 염려했으니, 어떻게 보면 정신이 나가도 보통 나간 사람이 아니었다. 그러면 바울 사도는 왜 그런 사람이 되었을까? 그는 자기가 부활하신 예수님을 만나 예수님의 종으로 부름을 받고 사도로 보냄을 받았기 때문이라고 했다. 그리고 마지막에 감옥에서 순교할 것을 눈앞에 바라보면서도 오히려 밖에 있는 제자 디모데에게 소망의 편지를 썼다.

> [딤후 4:6-8] 관제와 같이 벌써 내가 부음이 되고 나의 떠날 기약이 가까웠도다, 내가 선한 싸움을 싸우고 나의 달려갈 길을 마치고 믿음을 지켰으니, 이제 후로는 나를 위하여 의의 면류관이 예비되었으므로 주 곧 의로우신 재판장이 그 날에 내게 주실 것이니 내게만 아니라 주의 나타나심을 사모하는 모든 자에게니라

이 말씀은 바울 사도가 감옥에서 곧 순교될 것을 예상하고 자신이 가장 신뢰하고 사랑했던 제자 디모데에게 보낸 유언 같은 편지의 마지막 부분이다. 편지를 보낸 후 곧 순교했으니, 이 편지는 임종을 바라보는 바울 사도의 마지막 고백이다. 여기서 '관제'는 원어의 '스펜도마이'로 제사의 마지막 순서인 준비된 제물 위에 포도주를 서서히 붓는 예식이다. 그러므로 '관제와 같이 벌써 내가 부음이 되고'라는 말은 제사에 비유하여, 하나님께 제물로 드려진 바울 사도의 인생이 이제 마지막 예식인 관제와 같이 벌써 부음이 되었다는 말이다. 즉 죽음이 가까웠다는 의미로 "나의 떠날 기약이

가까웠도다."라는 말이 이를 더욱 확실하게 한다.

이 말씀은 바울 사도가 예수님을 만난 후로는 자신의 인생을 송두리째 하나님께 제사로 드려진 제물처럼 살았다는 인생 고백이다. 그 길은 이 세상의 부귀영화나 권세 공명의 삶을 바라고 한 것이 아닌 험난한 고난과 고통의 길이었고, 그 마지막은 참수되어 죽는 복음을 위한 순교자의 길이었다. 그럼에도 불구하고 그는 임박한 죽음 앞에서 회한이나 원망이 전혀 없이 오히려 "내가 선한 싸움을 싸우고 나의 달려갈 길을 마치고 믿음을 지켰다."고 만족한 고백을 했다. 자기를 위하여 하늘나라에 예비 된 '의의 면류관'을 바라보면서 소망이 가득 찬 모습으로 죽음의 관문을 지나 세상을 떠나갔다.

여기서 '면류관'은 원어의 '스테파노스'로 '벽이나 군중 같은 것들로 둘러싸는 것'이라는 뜻으로, '승자의 왕관'이나 '모든 사람이 공공연하게 인정하는 영광스러운 명예'를 의미한다. 또한, '의'는 하나님의 두 가지 주된 성품인 '거룩하심'과 '사랑' 중에서 '거룩하심'이 실제로 나타나는 현상이다. 그러므로 '의의 면류관'으로 표현된 바울 사도가 바라보았던 하늘나라의 상은 참으로 우리의 상상을 초월하는 어마어마한 영예였음이 분명하다. 이 면류관은 마지막 날에 예수님께서 바울 사도에게 주실 것인데, 바울 사도만 아니라 그와 같이 예수님을 사모하는 모든 사람에게도 주실 것이라고 말하고 그는 순교했다. 이것이 바울 사도가 부활하신 예수님을 만나면서 시작된 그의 변화된 삶의 전체적인 모습이다.

결론적으로 다시 말하자면, 바울 사도는 인간적으로 볼 때 가문이나 학문, 종교 및 사회적인 면 등 어떤 면으로 보더라도 당시 유대 사회에서 탁월한 사람이었다. 그러나 그것들을 모두 배설물 같이 여기고 30여 년 동안을 이방인의 세계에 나가서 형언할 수 없는 고생과 수고를 했다. 극심한 환난과 핍박을 받으면서도 포기하지 않고 예수님을 증거하며 복음을 전하다가 결국에는 순교했다. 순교하면서도 그는 원망하고 탄식하며 순교한 것이 아니라, 하늘나라에 그를 위하여 예비 된 의의 면류관을 바라보며 소망 가운데 승전가를 부르며 순교했다. 그는 그 이유를 자신이 부활하신 예수님을 만나 예수님이 하나님의 아들이심을 확실하게 깨달았고, 또 예수님께서 자신을 이방인을 위한 사도로 불러 세우시고 복음을 전하라고 하셨기 때문이라고 했다. 다른 이유는 없었다. 이것이 성경의 주장이다.

그러면 과연 성경의 주장대로 바울 사도의 고백이 진실이었을까? 만일 진실이었다면 바울은 정말 부활하신 예수님을 만나 변화된 삶을 살았고, 그렇다면 예수님의 부활은 역사적인 사건으로 예수님은 실로 하나님의 아들이신 것이다. 그러면 과연 바울 사도의 증언이 진실이었다는 것을 믿을 만한 증거는 무엇일까?

바울 사도 간증의 진실성

바울 사도는 1세기에 지구촌에 살았던 유대인으로 역사적인 인물이다. 소아시아와 로마까지 그리스도의 복음을 전하다가 순교한 예수님의 사도로, 현재 소아시아와 로마 각처에서 볼 수 있는 수많은 유적과 문서들이 이를 확증하고 있다.

바울이 예수님의 사도가 되어 이방 세계에 그리스도의 복음을 전할 때 예수님을 믿는 사람들과 교회가 생겼다. 그러나 당시에는 신학교나 목사가 있는 것이 아니어서, 평신도 지도자들에게 교회관리와 목회를 위임하고 바울 사도는 다른 곳으로 복음을 전하러 떠나야 했다. 그 후에 교회들이 많이 생기고 이단 사설들도 생기기 시작하자, 성도들에게 바른 신앙생활을 지도하기 위한 문서들이 필요하게 되었다. 바울 사도는 그러한 필요에 따라 여러 교회에 편지를 쓰기 시작했고, 교회들은 그 편지를 잘 보관하고 그 내용대로 신앙생활을 하며 교회를 관리했다. 그리고 바울 사도는 순교했다.

그 후 역사의 흐름을 따라 다른 사도들의 서신과 복음서와 사도행전과 바울 사도의 편지가 함께 모아져 신약성경이 되었고, 주후 397년 칼타고 종교회의에서 당시 교회들이 현재와 같은 신약성경 27권의 책을 정경, 즉 잣대와 같은 바른 책들로 확정했다.

신약성경의 원본은 존재하지 않지만, 전부 또는 일부에 해당하는 헬라어 사본 약 5,300개와 약 10,000개의 라틴어 사본이 있다. 또한, 초기의 다른 사본 9,300개가 존재하여 이 사본들을 면밀하게 대조 연구해 보면, 지금 현재 우리에게 전해진 신약 성경이 원본과 차이 없는 정확한 문서임을 확증해 주고 있다. 이 중에서도 특히 바울 사도의 서신서들은 저자와 그 내용의 정확성과 신실성이 더욱 확실히 증명되었다. 사도행전의 기록뿐만 아니라, 바울 사도의 서신들을 연구해 보면 바울 사도는 그가 부활하신 예수님을 직접 만났던 것을 여러 번 말했다.

그러면 과연 바울 사도가 부활하신 예수님을 만났었다고 이렇게 여러 번씩이나 간증한 말이 진실이었을까?

바울 사도의 이 말이 진실이었는지 아니었는지를 확인해 보기 위하여, 바울 사도의 고백이 거짓이라고 가정해 보자. 그렇다면 바울은 자기가 부활하신 예수님을 직접 만난 체험을 하지도 않고 했다고 거짓말을 했고, 예수님께서 자기를 종으로 부르지도 않았는데 종으로 불렀다고 거짓말을 했으며, 사도로 보냄을 받지도 않았는데 예수님께서 자기를 사도로 보냈다고 거짓말을 한 것이다. 그리고 30여 년을 극심한 고생과 고난 가운데 수고하다가 마지막에는 로마 병정들에게 참수되어 죽은 것이 된다.

그렇다면 바울은 분명히 어리석은 사람, 아니 어리석은 사람이 아니라 그는 분명히 정신이상자였거나 미친 사람이었음이 틀림없다. 그렇지 않고는 부활하신 예수님을 만나는 체험을 했다고 해서 황금보석이 떨어지는 것도 아니고 권세 공명이 생기기는 것도 아닌데, 만나지도 않은 예수님을 만났다고 거짓말 하면서 자기 거짓말 때문에 하루 이틀, 일이 년도 아니고 30여 년이나 고난을 당하다 마지막에 죽임을 당할 수는 없다. 온전한 정신을 가진 사람으로서는 그런 일은 절대로 불가능한 것이다.

그러면 과연 바울 사도가 정말 정신 나간 미친 사람이었느냐?

신약성경 중에서 로마서에서부터 빌레몬서까지 바울 사도의 서신서들을 연구해 보면, 이 편지들은 몇 개월 혹은 몇 년씩 걸려 연구하고 발표한 논문이 아니다. 각 교회의 당면문제에 대한 처리 방법과 필요와 요구에 따라, 그때그때 바쁜 선교 일정 중에 틈을 내어 써 보낸 편지들이다. 그럼에도 불구하고 그 내용이 너무나 경탄스럽고 심오하며 아름답다.

이 편지들은 모두 1세기 중반쯤에 써졌다. 1세기라면 한 세대를 약 30년으로 잡아서 거의 70세대를 거슬러 올라가는 아득하게 먼 옛날이다. 이렇게 오래 전에 쓴 한 개인의 편지가 지난 2천 년 동안 세대 세대마다 수많은 사람에게 애독되었고 그들을 감동하고 변화시켰을 뿐만 아니라 오늘날에도 수많은 현대인이 다른 어떤 문서보다 이 편지를 더 많이 읽고, 또 어떤 사람들은 수십 번 씩 숙독하고 암송까지 하니, 이는 실로 시간을 초월하는 놀라운 문서라고 아니할 수 없다.

더 나아가 바울 서신은 민족과 문화의 장벽을 완전히 초월한 문서이기도 하다. 한 나라와 민족의 문화는 오랜 세월을 통하여 형성된 것으로, 민족적인 감정과 문화와 문화 사이의 장벽을 초월한다는 것은 쉽지 않다. 한국에서 태어나서 한국 사람의 문화 속에서 성인이 되어 한국 사람의 정서를 가지고 살던 사람이, 다른 나라에 이민 가서 그 나라 민족의 감정과 문화에 익숙해지고 그것들을 받아들이기까지는 수많은 노력이 필요하다. 어쩌면 죽을 때까지도 그 나라 본토인들처럼 그들의 감정과 문화를 소유할 수 없을지도 모른다. 이렇게 넘기 어려운 문화의 장벽에도 불구하고 고대 유대 문화와 로마 문화 사이에서 기록된 바울 사도의 서신이, 지난 2천 년 동안 세대에 상관없이 어떤 문화에서도 잘 받아들여졌다. 로마의 통치하에 살았던 당시 이방인들의 문화는 물론, 아프리카의 문화, 남미의 문화, 중국의 문화와 한국의 문화 등 아시아의 문화 속에서도 잘 받아들여졌다. 이는 실로 경탄하지 않을 수 없는 놀라운 사실이다.

또한, 이 서신은 남녀노소나 빈부귀천에 차이 없이 수많은 독자들을 영적으로 강하게 감동시켜, 죄를 회개하고 예수님을 믿어 변화된 삶을 살게 하고 지금도 여전히 그렇게 해 주고 있다. 세상에 이런 문서가 어디에 또 있겠는가?

내용 또한, 심오하여 이 편지들에 대한 주석들이 수없이 많이 써졌지만, 지금도 전문적인 성서 연구가들은 새로운 주석 쓰기를 멈추지 않고 있다. 또한, 오늘날 수없이 많은 사람들이 이 편지들의 내용을 묵상하여 진리를 터득하고 기뻐하며 그 진리들을 설교하고 하나님을 예배하니, 이 어찌 놀라운 문서가 아닐 수 있는가? 어떻게 정신 나간 미친 사람의 편지가 이렇게 놀라울 수 있겠는가?

그러므로 바울 사도의 편지는 결코 미친 사람의 글이 될 수 없다는 결론을 내릴 수밖에 없다. 정신 나간 미친 사람이 이런 편지를 쓴다는 것은 절대로 불가능하기 때문이다.

바울 사도의 편지가 미친 사람의 글일 수가 없다는 것은, 바로 바울 사도가 정신 나간 미친 사람이 아니었다는 결론이다. 따라서 정상인이었던 바울 사도가 다메섹 사건 이후에 극적으로 변하여 삼십 여년을 극심한 고난과 핍박 중에도 굴하지 아니하고 예수님을 하나님의 아들이라고 증거하다가 순교한 것을 보면, 그의 간증대로 다메섹 사건에서 그가 부활하신 예수님을 만났던 것이 확실하다. 그렇지 않았다면, 바울은 결코 바울 사도의 삶을 살 수 없었을 것이다.

따라서 바울 사도가 부활하신 예수님을 만나는 체험을 했고, 예수님의 종으로 부르심을 받고 사도로 보냄을 받았다고 간증하는 그의 고백은 거짓말이 아닌 진실한 고백이었음을 확실히 믿을 수가 있다.

허상이 아니고 실상인 바울 사도의 체험

여기서 한 가지 중요한 것은, 바울 사도가 부활하신 예수님을 만난 것이 허상이라면 그가 아무리 자신의 체험을 거짓 없이 고백했다고 해도 그 결과는 허상을 고백한 것이다. 결국은 거짓이다. 그러므로 바울 사도의 체험이 허상이 아니고 실상이었다는 것을 확인하지 않으면 바울 사도의 간증은 신빙성이 없게 된다. 그러면 바울 사도의 체험이 과연 실상이었을까?

[행 9:3-9] 사울이 행하여 다메섹에 가까이 가더니 홀연히 하늘로서 빛이 저를 둘러 비추는지라, 땅에 엎드러져 들으매 소리 있어 가라사대 사울아 사울아 네가 어찌하여 나를 핍박하느냐 하시거늘, 대답하되 주여 뉘시오니이까 가라사대 나는 네가 핍박하는 예수라, 네가 일어나 성으로 들어가라 행할 것을 네게 이를 자가 있느니라 하시니, 같이 가던 사람들은 소리만 듣고 아무도 보지 못하여 말을 못하고 섰더라, 사울이 땅에서 일어나 눈은 떴으나 아무것도 보지 못하고 사람의 손에 끌려 다메섹으로 들어가서, 사흘 동안을 보지 못하고 식음을 전폐하니라

[갈 4:13-15] 내가 처음에 육체의 약함을 인하여 너희에게 복음을 전한 것을 너희가 아는 바라, 너희를 시험하는 것이 내 육체에 있으되 이것을 너희가 업신여기지도 아니하며 버리지도 아니하고 오직 나를 하나님의 천사와 같이 또는 그리스도 예수와 같이 영접하였도다, 너희의 복이 지금 어디 있느냐 내가 너희에게 증거하노니 너희가 할 수만 있었더면 너희의 눈이라도 빼어 나를 주었으리라

바울 사도가 부활하신 예수님을 만난 사건은 영적인 사건이었을 뿐만 아니라 물리적인 사건이었다. 영적으로는 예수님께서 하나님의 아들이셨음을 확실하게 깨닫고 예수님의 부르심을 따라 사도가 되는 사건이었고, 물리적으로는 땅에 엎드러졌고 그의 눈이 보이지 않게 된 것이다.

사도행전 9장을 계속 읽어 보면 그 후에 사람들에게 이끌리어 다메섹에 들어가, 아나니아라는 제자에게 안수를 받고 눈에서 비늘 같은 것이 떨어져 볼 수는 있었으나 시력이 완전히 회복된 것은 아니었던 것 같다. 나중에 그가 갈라디아 교회에 보낸 편지를 보면 바울 사도는 그때까지도 육체의 약함이 있었다. 그 육체의 약함은 갈라디아 사람들에게 시험거리가 될 수

도 있었고 업신여김을 받거나 버림을 받을 수도 있는 종류의 약함이었다.

바울 사도의 약함은 무엇이었을까? 15절에서 "내가 너희에게 증거하노니 너희가 할 수만 있었더면 너희의 눈이라도 빼어 나를 주었으리라."고 하신 것을 보면, 바울 사도의 육체의 약함은 분명히 앞을 잘 못 보는 눈 문제이었음이 분명하다. 그랬기 때문에 하나님께서 정말 전지전능하시고 바울이 정말 예수님의 사도라면 왜 바울 사도의 눈을 고쳐주지 않으시느냐? 하는 시험거리가 될 수 있었다. 또한, 앞도 잘 못 보고, 천막을 만들어 팔아 겨우 먹고 살면서 가정도 없는 주제에 복음을 전한다니, "저 자신이나 구원하지!"라고 하는 업신여김이나 버림을 받을 수도 있었다.

이것을 보면 바울 사도가 부활하신 예수님을 만난 사건은 허상이 아니라, 바울 사도의 눈을 보이지 않게 하는 물리적인 변화를 일으킬 정도의 실상이었다는 것을 알 수 있다. 이는 실로 놀라운 체험이었다.

그러므로 바울 사도가 부활하신 예수님을 만나 보았다는 간증은 거짓 없는 진실이며 또한, 실상이었음이 확실하다. 예수님께서는 약속하신 대로 죽음에서 부활하시어, 자신이 살아계신 하나님의 아들이셨음을 확실하게 입증해 주신 것이다.

그러므로 바울 사도는 "예수 그리스도의 종 바울은 사도로 부르심을 받아 하나님의 복음을 위하여 택정함을 입었으니, 이 복음은 하나님이 선지자들로 말미암아 그의 아들에 관하여 성경에 미리 약속하신 것이라, 이 아들로 말하면 육신으로는 다윗의 혈통에서 나셨고, 성결의 영으로는 죽은 가운데서 부활하여 능력으로 하나님의 아들로 인정되셨으니 곧 우리 주 예수 그리스도시니라."[롬 1:1-4]라고 증거했던 것이다.

바울 사도뿐만 아니라 예수님의 부활을 목격한 다른 사도들과 사도가 아닌 사람들도, 예수님께서 하나님의 아들이셨음을 증거하다가 고난을 받고 순교를 당한 것을 보면 예수님의 부활은 역사적인 사건이었던 것이 확실하다. 사람의 이성과 지성의 한계를 초월하는 사건이었기 때문에 쉽사리 사실로 받아들여지지 않지만, 예수님은 실제로 부활하셨고 이로서 하나님의 아들이셨음을 확실하게 증거해 주셨다. 그러므로 이제 우리는 예수님은 그리스도시요 사람의 모양으로 이 땅에 오신, 살아계신 하나님의 아들이셨음을 믿을 수 있는 확실한 증거를 갖게 된 것이다.

예수님의 승천

[행 1:6-15] 저희가 모였을 때에 예수께 묻자와 가로되 주께서 이스라엘 나라를 회복하심이 이 때니이까 하니, 가라사대 때와 기한은 아버지께서 자기의 권한에 두셨으니 너희의 알 바 아니요, 오직 성령이 너희에게 임하시면 너희가 권능을 받고 예루살렘과 온 유대와 사마리아와 땅 끝까지 이르러 내 증인이 되리라 하시니라, 이 말씀을 마치시고 저희 보는데서 올리워 가시니 구름이 저를 가리워 보이지 않게 하더라, 올라가실 때에 제자들이 자세히 하늘을 쳐다 보고 있는데 흰옷 입은 두 사람이 저희 곁에 서서, 가로되 갈릴리 사람들아 어찌하여 서서 하늘을 쳐다 보느냐 너희 가운데서 하늘로 올리우신 이 예수는 하늘로 가심을 본 그대로 오시리라 하였느니라, 제자들이 감람원이라 하는 산으로부터 예루살렘에 돌아오니 이 산은 예루살렘에서 가까와 안식일에 가기 알맞은 길이라, 들어가 저희 유하는 다락에 올라가니 베드로, 요한, 야고보, 안드레와 빌립, 도마와 바돌로매, 마태와 및 알패오의 아들 야고보, 셀롯인 시몬, 야고보의 아들 유다가 다 거기 있어, 여자들과 예수의 모친 마리아와 예수의 아우들로 더불어 마음을 같이하여 전혀 기도에 힘쓰니라, 모인 무리의 수가 한 일백이십 명이나 되더라

예수님의 승천은 실로 신비한 사건이었다. 예수님은 함께 모여 있던 제자들이 보는 데서 하늘로 올리어 가셨다. 구름에 가려 보이지 않게 되었다는 것을 보면 물질의 몸 같기도 하지만, 그렇지만도 않은 것은 물질의 몸만이라면 올리어 갈 수가 없기 때문이다. 이것이 신비한 예수님의 부활하신 몸이다. 나중에 예수님께서 바울 사도에게 나타나셨을 때는 정오의 해보다 더 밝은 빛 가운데 오셨다고 했으니 실로 신비한 모습이다. 이는 또한, 장차

변화될 예수 믿는 사람들의 모습이라고 성경은 말한다.

예수님의 부활 사건 하나만으로도 예수님이 하나님의 아들이심을 충분히 증명해 주는 표적이 된다. 하지만, 예수님께서 승천하실 때에 제자들을 감람산으로 부르시고 그들이 보는 가운데 올리어 가신 데는 그럴만한 중요한 의도가 있었던 것이 분명하다.

예수님께서 오병이어의 기적을 행하신 후, 자기가 살아계신 하나님께서 보내신 하나님의 아들로서 생명의 떡이라고 말씀하실 때 그 말을 듣고 사람들이 수군거리자, "예수께서 스스로 제자들이 이 말씀에 대하여 수군거리는 줄 아시고 가라사대 이 말이 너희에게 걸림이 되느냐 그러면 너희가 인자의 이전 있던 곳으로 올라가는 것을 볼 것 같으면 어찌 하려느냐?"[요 6:61-62]고 하셨다. 이 말씀에 의하면 예수님은 사람들이 보는 가운데 승천하심으로 자신이 하늘에서 오신 하나님의 아들이심을 확실하게 보여 주시고자 하는 의도가 있었다는 것을 알 수 있다.

예수님께서 이 세상에 오신 것은 하나님 아버지의 뜻을 이루시기 위하여 오신 것이지 영원히 살기 위해 오신 것이 아니다. 따라서 모든 일을 마치신 후에는 천국 고향으로 돌아가셔야 했다. 나중에 제 3장의 그리스도인 부활의 대목에서 설명하겠지만, 예수님께서 이 세상에 오실 때에는 반드시 사람의 몸을 입고 사람의 모양으로 오셔야만 할 이유가 있었기 때문에 그렇게 하셨다. 하지만 하실 일을 마치시고 하늘나라로 돌아가실 때는 사람처럼 죽어서 돌아가시거나 슬며시 가실 이유가 전혀 없었다. 죽음의 권세를 이기시고 부활하여 영광스런 부활체로 많은 사람이 보는 데서 승천하셨다. 예수님께서 하나님의 아들로서 이 세상에 오셨다가 하늘나라로 돌아가시는 너무도 자연스럽고 당연한 귀향길이었다. 인류 역사상 어떤 사람도 예수님처럼 승천한 사람은 없었고 앞으로도 영원히 없을 것이다. 그러므로 예수님의 승천 사건은 부활 사건을 뒤따라오는 필연적 사건으로, 예수님께서 의도 하신 대로 예수님이 하나님의 아들이셨음을 더욱 확실하게 증거한다.

뿐만 아니라 예수님의 승천은 "너희 가운데서 하늘로 올리우신 이 예수는 하늘로 가심을 본 그대로 오시리라."고 두 천사가 선포한 바와 같이 다시 오실 예수님의 모습을 미리 보여주신 것이다. 그러므로 승천하실 때처럼 구름 타고 오시지 않으면 [마 24:30 참조] 아무리 기사와 이적을 행하며 소란을 피워도 하나님의 아들 예수님의 재림은 아니다.

지금까지 살펴본 예수님의 부활과 승천 사건은 인류 역사상 단 한 번밖에 없는 전무후무하고 유일한 사건이다. 이로써 예수님은 육신의 몸으로 이 땅에 오셨던 하나님의 아들이셨음을 확실하게 보이시고 증거해 주셨다. 따라서 예수님의 말씀을 다른 그 누구의 말보다 더욱 더 신뢰할 수 있게 됐다. 아무리 훌륭한 성현군자나 현학자라할지라도 죽으면 부활할 수 없었기 때문이다. 더군다나 승천은 생각도, 언급도 할 수 없었다. 그들이 보통 사람들보다 더 지혜로웠고 더 많이 깨달아 가르쳤다 하더라도, 모두 죽고 부활하지 못했기 때문에 본질적으로 보통 사람들과 다를 바 없는 사람이었던 것이 분명하다. 따라서 사람인 그들의 말보다는, 예언하신대로 죽은 자 가운데서 부활하시어 하나님의 아들로 인정되셨으며, 120여 명이나 되는 제자들이 보는 가운데 승천하시여 하나님의 아들이심을 더욱 확실하게 보여주신 예수님 말씀이 훨씬 더 신뢰성이 있는 것이다.

실로 예수님의 말씀은 그 한 마디 한 마디가 보이는 세계와 보이지 않는 세계의 주재이신 형언할 수 없이 존귀하고 영광스러운 하나님 아들의 귀중한 생명의 말씀이다. 이것이 예수님을 믿는 믿음의 특성이다.

그러므로 "하나님이 세상을 이처럼 사랑하사 독생자를 주셨으니 이는 저를 믿는 자마다 멸망치 않고 영생을 얻게 하려 하심이니라." [요한복음 3:16]고 하신 예수님의 말씀은 모든 사람이 심각하게 받아들여야할 진리의 말씀이다.

3. 성경은 유일하게 기록된 하나님의 말씀

순종을 위한 하나님의 말씀

이제 온전한 예수님을 믿는 믿음을 갖기 위해서는 예수님의 말씀, 곧 하나님의 말씀에 순종하는 것만 남았다. 사실 우리가 어떤 말씀이든지 그 말씀이 하나님 말씀이라는 것이 확실하기만 하면, 순종을 거절하는 사람들은 그리 많지 않을 것이다. 중요한 것은 하나님 말씀을 어디서 어떻게 들을 수 있느냐하는 것이다.

이 질문에 대한 해답이 바로 성경이다. 성경은 유일하게 기록된 하나님의 말씀으로 성경을 통해 하나님의 말씀을 들을 수 있다. 그러면 과연 성경이 유일하게 기록된 하나님의 말씀이라는 것을 어떻게 믿을 수 있는가?

성경은 구약과 신약으로 되어 있다. 구약은 모세가 기록한 창세기로부터 시작하여 이스라엘 역사와 시가서와 선지자들의 글로 되어 있으며, 신약은 예수님의 행적과 가르침이 중심이 된 복음서와 사도들의 행적을 기록한 사도행전, 그리고 사도들의 가르침과 예언이 중심이 된 편지들로 구성되어 있다. 그러면 이처럼 사람들에 의하여 기록된 문서를 어떻게 '유일하게 기록된 하나님의 말씀'이라고 받아들일 수 있는지, 신약부터 살펴보고자 한다.

사도들의 권위

> [마 10:1-4] 예수께서 그 열 두 제자를 부르사 더러운 귀신을 쫓아내며 모든 병과 모든 약한 것을 고치는 권능을 주시니라, 열 두 사도의 이름은 이러하니 베드로라 하는 시몬을 비롯하여 그의 형제 안드레와 세베대의 아들 야고보와 그의 형제 요한, 빌립과 바돌로매, 도마와 세리 마태, 알패오의 아들 야고보와 다대오, 가나안인 시몬과 및 가룟 유다 곧 예수를 판 자라

예수님의 열두 사도들은 모두 예수님께서 직접 택하셨다. 심지어는 훗

날 예수님을 배반하고 예수님을 제사장들에게 은 삼십을 받고 팔아먹을 가룟 유다까지도 직접 택하여 세우셨다. 그러면 왜 가룟 유다와 같은 사람을 제자 중 하나로 택하셨을까? 예수님의 실수가 아니었을까? 예수님이 정말 하나님의 아들이셨다면 과연 어떻게 그런 실수를 하실 수가 있었을까? 가룟 유다를 사도로 택하신 것을 보면 혹시 예수님은 정말 하나님의 아들이 아니지 않았을까 하는 의혹이 들게도 한다.

그러나 지금까지 살펴본 바로는, 예수님께서는 비록 육체로는 우리와 같은 몸으로 계셨으나 실제로는 하나님의 뜻을 이루려고 이 땅에 오신 하나님의 독생자 즉 하나님의 아들이셨다. 그러므로 사람의 자녀가 사람인 것같이 예수님께서는 하나님의 독생자 하나님, 즉 성자 하나님이셨다. 그러므로 예수님은 하나님의 뜻을 온전히 이루도록 하나님의 지혜와 능력으로 실수 없이 제자들을 택하셨음이 분명하다. 가룟 유다도 결국은 하나님의 뜻을 이루시기 위한 가장 적합한 사람이었기에 택하신 것이 분명하다. 그 이유는 아래의 요한복음 6장 64절 이하의 말씀을 보면 처음부터 아셨다고 기록하고 있기 때문이다.

[요 6:64-71] 그러나 너희 중에 믿지 아니하는 자들이 있느니라 하시니 이는 예수께서 믿지 아니하는 자들이 누구며 <u>자기를 팔 자가 누군지 처음부터 아심이러라</u>, 또 가라사대 이러하므로 전에 너희에게 말하기를 내 아버지께서 오게 하여 주지 아니하시면 누구든지 내게 올 수 없다 하였노라 하시니라, 이러므로 제자 중에 많이 물러가고 다시 그와 함께 다니지 아니하더라, 예수께서 열두 제자에게 이르시되 너희도 가려느냐, 시몬 베드로가 대답하되 주여 영생의 말씀이 계시매 우리가 뉘게로 가오리까, 우리가 주는 하나님의 거룩하신 자신 줄 믿고 알았삽나이다, 예수께서 대답하시되 내가 너희 열둘을 택하지 아니하였느냐 <u>그러나 너희 중에 한 사람은 마귀니라 하시니, 이 말씀은 가룟 시몬의 아들 유다를 가리키심이라 저는 열둘 중의 하나로 예수를 팔 자러라</u>

이 말씀을 보면 예수님은 자기를 팔자가 누구인지 처음부터 아셨을 뿐만 아니라, 가룟 유다가 마귀인 것도 아셨다고 했다. 예수님은 마귀가 무서워 피해 가며 일하시거나 또는 마귀의 방해 공작을 막아가며 일하지 않으시고, 마귀의 도전과 시험을 공개적으로 받아들이고 처리하셨다는 말씀이다. 열두 제자 중에 한 사람 즉, 마귀에게 속한 가룟 유다를 통하여 마귀가 마음껏 도전하도록 허락하신 것이다. 하나님의 뜻을 이루시고자 예수님께서 하시는 사역을 시험하고 방해하는 마귀의 대적 행위는, 예수님께서 세례를 받으시고 광야에서 주리셨을 때의 시험으로 끝난 것이 아니다. 그 후에도 계속되었고 결국은 십자가까지 갔다. 이 모든 사실은 예수님이 마귀의 모든 능력을 초월하는 성자 하나님으로서, 자신 있게 마귀를 처리하실 수 있는 분이셨음을 명백하게 보여주신 것이다.

이렇게 놀라운 능력을 갖추신 성자 하나님, 곧 예수 그리스도께서 사도들을 모두 친히 택하여 제자로 세우시고 그들에게 예수님의 사도로서의 권능을 주셨을 뿐만 아니라, 이 세상 모든 족속을 제자로 삼아 아버지와 아들과 성령의 이름으로 세례를 주고 예수님께서 사도들에게 분부한 모든 것을 가르쳐 지키게 하라는 사명까지 주셨다. 그러므로 사도들의 권위는 하나님의 아들, 즉 성자 하나님께서 친히 주신 권위이다. 실로 이 권위는 이 세상 임금들이 줄 수 있는 그 어떤 권위와도 비교할 수 없는 어마어마한 권위였다.

사도들의 가르침

> [마 28:16-20] 열 한 제자가 갈릴리에 가서 예수의 명하시던 산에 이르러, 예수를 뵈옵고 경배하나 오히려 의심하는 자도 있더라, 예수께서 나아와 일러 가라사대 하늘과 땅의 모든 권세를 내게 주셨으니, 그러므로 너희는 가서 모든 족속으로 제자를 삼아 아버지와 아들과 성령의 이름으로 세

이 말씀은 부활하신 예수님께서 열한 사도와 따로 갈릴리 지방의 어떤 산에서 만나, 하늘과 땅의 모든 권세를 가지신 천지의 주권자로서 제자들에게 명하신 일명 '지상 명령'으로 불리는 말씀이다.

여기서 예수님은 사도들에게 모든 족속에게로 가서 그들을 제자 삼아, 예수님께서 그동안 사도들에게 가르치시고 분부하신 모든 것들을 가르쳐 지키게 하라고 명하셨다. 사도들은 참으로 위대한 사역을 위임받았다. 그러나 사도들이 직접 땅끝까지 가서 모든 족속에게 가르쳐 지키게 해야 할 예수님의 모든 분부는, 가장 핵심적이었으나 제자들에게는 가장 큰 문제이기도 했다.

예수님께서는 제자들을 선택하시면서 지상 명령을 미리 말씀해 주시지 않아서 사도들은 전혀 모르고 있었다. 설사 알았다 하더라도 예수님의 말씀을 오늘날과 같이 과학적인 방법으로 일일이 기록해 놓을 수도 없었고, 또 그렇게 하도록 예수님께서 명하지도 않으셨다.

사도들은 오직 예수님의 부르심을 받고 예수님과 동거하며 예수님의 말씀을 듣고 가르침을 받았을 뿐이다. 오늘날 학교 교육과 같은 교육이 아니고 생활교육이었다. 사도들이 예수님께 듣고 보고 배운 모든 것들을 다른 이방 모든 족속에게 가서 그들을 제자 삼아 가르치고 전하라고 명하시리라고는 꿈에도 생각할 수 없었을 것이다. 예수님과 함께 생활하면서 그중에서 가장 인상적이었던 것들을 기억력이 허락하는 대로 기억하고 있었거나, 혹 기록을 했더라도 지극히 허술한 기록이었을 것이다.

그럼에도 불구하고 예수님께서는 "내가 너희에게 분부한 모든 것을 가르쳐 지키게 하라."고 명하셨다. 그러니 모든 족속에게 가르쳐 지키게 하여야 할 '예수님께서 제자들에게 분부하신 모든 것'이 온전하게 준비되지 않은 것이 큰 문제가 되는 것은 당연했다.

그뿐만 아니라 이 세상 모든 족속에게로 가서 그들이 전혀 듣지도 못했던 복음을 전하며, 알지도 못했던 예수님을 전하여 그들을 예수님의 제자 삼아 세례를 주고 예수님의 분부를 가르쳐 지키게 하는 것은, 제자들이 홀로 감당하기에는 너무나 어려운 일이고 불가능한 일이었다.

이 외에도 다른 문제들도 있었겠지만, 이 두 가지는 실제로 예수님의 지상명령을 직접 수행해야 하는 사도들에게는 실로 심각한 문제가 아닐 수 없었다.

예수님께서도 제자들의 이러한 문제를 잘 알고 계셨음이 분명하다. 그래서 예수님께서 사도들에게 "볼지어다. 내가 세상 끝날까지 너희와 항상 함께 있으리라."고 말씀하셨다. 예수님의 이 말씀의 의미는, 내가 세상 끝날까지 사도 된 너희뿐만 아니라 다른 모든 제자와도 항상 함께 있어 너희가 할 수 없는 것은 내가 할 터이니, 너희는 오직 믿음으로 땅끝까지 이르러 내 명령을 준행하라는 말씀이었다. 그 당시 사도들은 예수님의 이 말씀이 무슨 뜻이었는지 전혀 이해할 수 없었을 것이다. 그러나 예수님께서는 약속하신 대로, 승천하신 후에 예수님과 똑같은 또 다른 보혜사 성령을 보내주셔서 제자들과 영원히 함께 하심으로 사도들의 문제들을 해결해 주셨다.

영원토록 함께 하시며 생각나게 하시는 보혜사 성령

> [요 14:16-17] 내가 아버지께 구하겠으니 그가 또 다른 보혜사를 너희에게 주사 영원토록 너희와 함께 있게 하시리니, 저는 진리의 영이라 세상은 능히 저를 받지 못하나니 이는 저를 보지도 못하고 알지도 못함이라 그러나 너희는 저를 아나니 저는 너희와 함께 거하심이요 또 너희 속에 계시겠음이라

여기서 '또 다른'이라는 말은 원어의 '알로스'로 '대용할 수 있는 동일한

종류의 다른 것'을 의미하고, '보혜사'는 원어의 '파라클리토스'로 '옆에서 위로하고 변호해 주고 도와주는 자'라는 뜻이다.

그러므로 '또 다른 보혜사'는 예수님께서 육신의 몸으로 제자들과 함께 계셔서 제자들을 위로하고 변호해 주며, 도와주시는 보혜사 역할을 하셨던 것과 똑같은 역할을 하실 '또 다른 보혜사'라는 뜻이다. 이는 예수님께서 하나님 아버지께 구하여 하나님 아버지께서 보내실 진리의 영으로, 제자들과 영원히 함께 있을 것이며 또 제자들 속에 거하실 것이라고 하셨다. 그러므로 '또 다른 보혜사'가 오시면 예수님이 제자들과 영원히 항상 함께 계시는 것과 동일하게 되는 것이었다. 예수님은 하나님 아버지의 뜻을 이루시기 위하여 피치 못할 이유로 육신의 몸을 입고 오셨기 때문에, 사명이 끝나면 제자들을 떠나 하늘나라로 돌아가셔야 했다. 하지만 새로 오시는 '또 다른 보혜사'는 '진리의 영'으로 오시기 때문에 제자들을 떠날 필요가 없으시므로, 제자들과 함께 그 속에 거하시되 영원히 거하시며 예수님과 똑같은 보혜사가 되어 주실 것이라는 말씀이다.

> [요 14:25-26] 내가 아직 너희와 함께 있어서 이 말을 너희에게 하였거니와, 보혜사 곧 아버지께서 내 이름으로 보내실 성령 그가 너희에게 모든 것을 가르치시고 내가 너희에게 말한 모든 것을 생각나게 하시리라

예수님은 계속해서 '또 다른 보혜사'는 '성령' 곧 거룩한 영이신데, 그가 오시면 그가 제자들에게 모든 것을 가르치시고 또 예수님께서 제자들에게 말씀하셨던 모든 것을 생각나게 하실 것이라고 하셨다. 그러니까 현대 과학으로 말하면 컴퓨터 메모리에 입력된 것을 언제든지 바탕화면에 끌어내어 볼 수 있듯이, 제자들 두뇌의 메모리 셀에 입력된 예수님의 모든 말씀을 성령께서 제자들의 생각 속에서 끌어내어 기억나게 하실 것이라는 말씀이다. 상상을 초월하는 놀라운 말씀이다.

사람이 이 세상을 살아가면서 듣고 보고 체험하는 모든 것들은 두뇌의

메모리 셀에 다 입력이 되어 있다. 사람은 컴퓨터처럼 그 입력된 모든 것들을 언제든지 자유자재로 생각에 끌어낼 수 있는 능력이 부족하다. 입력이 오래된 것일수록 끌어내기 어려워지거나 불가능해진다. 그 이유는 오래된 메모리를 추적할 수 있는 능력이 더욱 부족하기 때문이다.

그러나 성령께서는 사람의 메모리 셀에 입력된 모든 것을 생각나게 하실 수 있다. 이것은 성령님의 놀라운 능력이다. 마지막 날에 있을 하나님의 심판도 사람 몸의 메모리 셀은 아니겠지만, 어딘가에 기록된 모든 것이 생각나서 죄인들 스스로 자기 갈 곳으로 알아서 가게 될지도 모른다. 하여튼 이것은 실로 사람으로서는 약속할 수 없는 오직 하나님의 아들이신 예수님께서만 약속하실 수 있는 예언이었다.

이 말씀을 들은 사도들은 당시 예수님께서 하시는 말씀이 무엇인지 도저히 감을 잡을 수가 없었을 것이다. 예수님께서는 그들이 도저히 이해할 수 없는 말씀들을 자주 하셨기 때문에 이번에도 그러려니 했을 것이다. 그러나 예수님의 이 약속은 훗날 온 천하를 변화시킬 참으로 놀랍고도 놀라운 약속이었다.

말할 것을 주시는 성령

> [마 10:19-20] 너희를 넘겨줄 때에 어떻게 또는 무엇을 말할까 염려치 말라 그 때에 무슨 말할 것을 주시리니, 말하는 이는 너희가 아니라 너희 속에서 말씀하시는 자 곧 너희 아버지의 성령이시니라

예수님께서는 사도들이 예수님의 지상명령을 잘 감당할 수 있도록 하나님 아버지께서 또 다른 보혜사 즉 성령님을 보내서서, 제자들 속에 영원히 거하시며 예수님과 똑같은 보혜사 역할을 하게 하심으로, 제자들에게 모든 것을 가르쳐 주시고 예수님께서 말씀하신 모든 것들을 생각나게 하실 것이라고 하셨다. 더욱 놀라운 것은 사도들이 말할 것도 그들 속에서 말씀

해 주실 것이라고 약속하셨다.

　하나님께서 사람들에게 말씀하시기 원하시는 것을 사도들 속에서 역사하시는 성령께서 사도들에게 말할 것을 주심으로, 사도들로 하여금 사람들에게 말하게 하실 것이라는 말씀이다. 이와 같은 영적인 역사는 하나님과 사람과의 관계에서 흔히 있어왔기에 특별히 놀랄만한 것이 아니다. 하나님께서는 사람을 통하여 사람에게 말씀하시는 경우가 얼마든지 있기 때문이다. 한 가지 특이한 것은 성령께서 사도들 속에 영원히 계신다는 것이다. 예수님께서는 부활하신 후에 성령께서 오실 것을 한 번 더 약속하시고 승천하셨다.

> [행 1:8-9] 오직 성령이 너희에게 임하시면 너희가 권능을 받고 예루살렘과 온 유대와 사마리아와 땅끝까지 이르러 내 증인이 되리라 하시니라, 이 말씀을 마치시고 저희 보는 데서 올리워 가시니 구름이 저를 가리워 보이지 않게 하더라

　이 말씀을 들은 제자들은 이때도 역시 예수님의 말씀을 전혀 이해할 수 없었을 것이다. 왜냐하면, 그들은 성령님을 체험해 본 적도 없고 권능이 어떤 것인지도 몰랐으며, 어떻게 그 적은 무리가 땅끝까지 갈 수 있고 또 땅끝이 어디인지조차도 알 수 없었기 때문이다. 그러나 누가의 기록을 보면 예수님의 제자들은 믿음으로 예수님의 말씀에 순종했다. 이것이 중요하다. 이렇게 잘 모르지만 사실로 여겨 받아들이고 믿음으로 순종한 제자들에게 예수님의 약속이 오순절에 현실로 나타났다.

> [행 2:1-4] 오순절날이 이미 이르매 저희가 다 같이 한 곳에 모였더니 홀연히 하늘로부터 급하고 강한 바람 같은 소리가 있어 저희 앉은 온 집에 가득하며 불의 혀같이 갈라지는 것이 저희에게 보여 각 사람 위에 임하여 있더니 저희가 다 성령의 충만함을 받고 성령이 말하게 하심을 따라 다른 방언으로 말하기를 시작하니라

[행 2:40-47] 또 여러 말로 확증하며 권하여 가로되 너희가 이 패역한 세대에서 구원을 받으라 하니, 그 말을 받는 사람들은 세례를 받으매 이 날에 제자의 수가 삼천이나 더하더라, 저희가 사도의 가르침을 받아 서로 교제하며 떡을 떼며 기도하기를 전혀 힘쓰니라, 사람마다 두려워하는데 사도들로 인하여 기사와 표적이 많이 나타나니, 믿는 사람이 다 함께 있어 모든 물건을 서로 통용하고, 또 재산과 소유를 팔아 각 사람의 필요를 따라 나눠주고, 날마다 마음을 같이 하여 성전에 모이기를 힘쓰고 집에서 떡을 떼며 기쁨과 순전한 마음으로 음식을 먹고, 하나님을 찬미하며 또 온 백성에게 칭송을 받으니 주께서 구원받는 사람을 날마다 더하게 하시니라

오순절은 유대인들이 지키는 삼대 절기 중 하나로, 유월절 기간에 있는 안식일 다음 날부터 50일째 되는 날이다.

유월절은 8일간이기 때문에 그 기간 중에 안식일이 반드시 한 번은 들어 있다. 그 유월절 중에 있는 안식일 다음 날은 유대인들이 보리 추수의 첫 이삭을 하나님께 드리는 날인데 이날 예수님께서 부활하셨다. 예수님께서는 모든 예수 믿는 자들에게 임할 부활의 첫 열매가 되시는 상징적인 의미까지도 절기와 시간을 통하여 잘 나타내 주셨다. 실로 놀라운 일이다.

그러므로 성령께서 강림하신 이 오순절은 예수님께서 부활하신 후 50일째 되는 날이었고, 사도행전 1장 3절에 예수님께서 부활하신 후 40일 동안 보이셨다고 기록한 것을 보면 예수님께서 승천하신 후 10일째 되는 날이었다. 이날에 예수님의 제자들은 모두 성령의 충만함을 받고 성령이 말하게 하심을 따라 각각 다른 방언으로 말하며, 모여든 사람들에게 베드로 사도가 설교하여 삼천 명이 구원받고 예수님의 제자가 되는 놀라운 역사가 일어났다. 그리하여 예루살렘 교회가 크게 부흥했고 제자들은 '사도의 가르침을 받아 서로 교제하며 떡을 떼며 기도하기를 힘쓰는 성도들이' 되었다. 성령께서 임하시자 예수님께서 말씀하신 "가르쳐 지키게 하라."고 하신 말씀이 곧 실행된 것이다.

이렇게 성령이 오셔서 사도들이 모든 족속으로 제자 삼기 위하여 가르쳐야 했던 '예수님께서 사도들에게 분부하신 모든 것'을 사도들에게 생각나게 하셔서, 초대 예루살렘 교회에서 사도들은 제자들을 가르칠 수 있게 된 것이다.

그 후에 제자들이 더욱 많아지고 교회가 여러 곳에 생기게 됨에 따라, 그들을 위하여 성령께서 생각나게 하시고 말하게 하심을 따라 예수님의 행적과 가르치심을 기록하여 보내게 되어 복음서가 탄생하게 되었다. 시간이 지나 이방인의 세계에 더욱 많은 제자가 생기게 되었고 교회도 더욱 많아졌다. 그들을 위하여 사도들과 제자들이 성령께서 하시는 말씀을 따라 그 말들을 편지로 보내게 되었고, 그 편지들이 교회들 사이에 회람되었다. 이와 같은 기록들은 모두 사도에 의하여 친히 기록되었거나 또는 사도가 그 순수성과 영감성을 반드시 인정하는 것이어야만 했다. 뿐만 아니라 그 후 400여 년을 지나면서 그 순수성과 영감성이 분명하다는 것이 교회들에 의하여 철저하게 검증되었고, 인정받은 것들만 모아서 신약성경이 되어 오늘날까지 우리에게 전해진 것이다.

그러므로 사도들이 전한 복음과 가르침과 복음을 따라 행한 모든 행함은, 제자들이 육신의 생각을 따라 자기들 마음대로 한 것이 아니다. 예수님의 약속대로 오순절에 이 땅에 강림하신, 예수님과 똑같은 또 다른 보혜사 성령님의 생각나게 하심과 가르치심과 말하게 하심과 명하심을 따라 된 것이다. 또한, 사도들과 제자들이 기록하여 교회에 전해준 모든 기록도 성령님의 감동과 인도하심을 따라 된 것이다. 이를 기록한 사도들과 제자들은 서기관에 불과하며 실제로 신약성경의 저자는 성령이시다. 인류 역사상 어떤 기록도 신약성경과 같은 기록이 없다.

그러므로 신약성경은 유일한 예수님과 똑같은 보혜사 성령님의 말씀이자 곧 예수님의 말씀이요, 하나님의 말씀이다. 이것이 신약성경의 권위요, 우리가 신약성경을 하나님의 뜻을 나타내는 유일하게 기록된 하나님의 말씀으로 믿을 수 있는 이유이다.

그래서 바울 사도는 "형제들아 내가 너희에게 알게 하노니 내가 전한 복음이 사람의 뜻을 따라 된 것이 아니라. 이는 내가 사람에게서 받은 것도 아니요 배운 것도 아니요 오직 예수 그리스도의 계시로 말미암은 것이라."[갈1:11-12]고 하셨다.

여기서 독자의 이해를 돕기 위하여 하나님과 예수님과 성령님의 관계를 부언하고자 한다. 이전에도 언급한 바와 같이 하나님과 예수님과의 관계는 이 세상에는 존재하지 않는 사람이 이해할 수 없는 신비한 관계일 가능성이 크다. 성령님과 하나님 그리고 예수님과의 관계도 역시 마찬가지일 가능성이 크다. 사람이 이해할 수 있는 언어로 표현하신 것이 아버지와 아들의 관계요, 또 다른 보혜사라는 말이다. 그러나 "나와 아버지는 하나이니라."[요 10:30]고 하신 말씀과, 또 '다른 보혜사가 예수님을 대신하는 예수님과 똑같은 보혜사'라는 의미를 종합해 보면 하나님 아버지와 예수님과 성령님은 모두 하나님으로서 하나이시다. 즉, '세 분이 한 분이시다.'라는 우리가 이해할 수 없는 신비한 관계인 것을 미루어 알 수 있다. 이 신비한 세 분이 한 분이신 하나님의 관계를 신학적으로는 '삼위일체'라고 한다. 그러므로 하나님 아버지의 말씀이나 예수님의 말씀이나 성령님의 말씀이 모두 한 분이신 하나님의 말씀이다. 그래서 성경의 내용을 보면 하나님께서 하신 말씀도 있고 예수님의 말씀도 있으며, 선지자들이나 사도들과 일반 성도들이 성령의 감동을 받아 기록한 말씀들도 있지만, 성경을 일반적으로 '하나님의 말씀'이라고 표현하는 것이다.

또한, 일반적으로 하나님 하면 하나님 아버지를 의미하며, 특별히 분명한 구별이 필요할 때에는 하나님 아버지로 표현한다. 예를 들면, '찬송하리로다. 하나님 곧 우리 주 예수 그리스도의 아버지께서 그리스도 안에서 하늘에 속한 모든 신령한 복으로 우리에게 복 주시되…'[엡 1:3]라는 말씀이다.

예수님이 인정하신 구약성경

> [마 5:17-19] 내가 율법이나 선지자나 폐하러 온 줄로 생각지 말라 폐하러 온 것이 아니요 완전케 하려 함이로라, 진실로 너희에게 이르노니 천지가 없어지기 전에는 율법의 일점일획이라도 반드시 없어지지 아니하고 다 이루리라, 그러므로 누구든지 이 계명 중에 지극히 작은 것 하나라도 버리고 또 그같이 사람을 가르치는 자는 천국에서 지극히 작다 일컬음을 받을 것이요 누구든지 이를 행하며 가르치는 자는 천국에서 크다 일컬음을 받으리라

여기서 '율법이나 선지자'는 예수님 당시의 성경을 의미하며 지금의 구약성경을 뜻한다. 당시의 성경은 모세가 하나님으로부터 받은 십계명을 비롯하여 이스라엘 백성들이 지켜야 했던 법들과 선지자들의 말씀으로 되었기 때문이다.

1947년에 발견된 사해 사본을 전문가들이 연구한 결과, 예수님 당시의 성경이 현재 우리가 읽는 구약성경과 놀랄 정도로 동일함을 알 수 있었다.

예수님께서는 모세로부터 시작해서 여러 선지자가 하나님의 계시를 따라 선포하고 기록한 구약 성경을 폐하려 오신 것이 아니라, 구약성경에 예언된 모든 하나님의 말씀을 완전케하기 위하여 오셨다고 했다. 여기서 '완전케 한다.'는 말은 원어의 '플리로세이'로 '충만케 한다, 완수한다.'는 뜻이다. 또한, 천지가 없어지기 전에는 결코 구약성경의 일점일획, 즉 가장 작은 부분이라도 없어지지 아니하고 다 이루리라고 하셨다. 이 말씀으로 예수님은 구약성경의 예언들을 이루려고 오셨고, 구약 성경의 모든 말씀은 반드시 다 성취될 하나님의 말씀임을 보증해 주셨다.

또한, 구약성경의 지극히 작은 부분이라도 무시하지 말고 잘 지키며 가르쳐야 할 것을 강조하셨다. 여기서 예수님께서 말씀하신 계명은 구약성경을 구구절절 풀어서 율법을 만들어 외식적으로나 종교적으로 지키는 것을 말씀하신

것이 아니고, "예수께서 가라사대 네 마음을 다하고 목숨을 다하고 뜻을 다하여 주 너의 하나님을 사랑하라 하셨으니, 이것이 크고 첫째 되는 계명이요, 둘째는 그와 같으니 네 이웃을 네 몸과 같이 사랑하라 하셨으니 이 두 계명이 온 율법과 선지자의 강령(모체가 되는 법)이니라."[마 22:37-40]고 말씀하신 바와 같이 사랑에 의한 행함을 의미했다. 예수님께서는 이렇게 구약성경을 철저하게 인정하셔서 지상에 계시는 동안 구약성경을 많이 인용하셨다.

예수님이 인용하신 구약성경

> [마 4:4] 예수께서 대답하여 가라사대 기록되었으되 사람이 떡으로만 살 것이 아니요 하나님의 입으로 나오는 모든 말씀으로 살 것이라 하였느니라 하시니[신명기 8:3 인용]

> [마 4:7] 예수께서 이르시되 또 기록되었으되 주 너의 하나님을 시험치 말라 하였느니라 하신대[신명기 6:16 인용]

> [마 4:10] 이에 예수께서 말씀하시되 사단아 물러가라 기록되었으되 주 너의 하나님께 경배하고 다만 그를 섬기라 하였느니라[신명기 6:13]

> [눅 4:16-21] 예수께서 그 자라나신 곳 나사렛에 이르사 안식일에 자기 규례대로 회당에 들어가사 성경을 읽으려고 서시매, 선지자 이사야의 글을 드리거늘 책을 펴서 이렇게 기록한 데를 찾으시니 곧, 주의 성령이 내게 임하셨으니 이는 가난한 자에게 복음을 전하게 하시려고 내게 기름을 부으시고 나를 보내사 포로 된 자에게 자유를 눈먼 자에게 다시 보게 함을 전파하며 눌린 자를 자유케 하고, 주의 은혜의 해를 전파하게 하려 하심이라 하였더라, 책을 덮어 그 맡은 자에게 주시고 앉으시니 회당에 있는 자들이 다 주목하여 보더라, 이에 예수께서 저희에게 말씀하시되 이 글이 오늘날 너희 귀에 응하였느니라 하시니… [이사야 61:1-2 인용]

[눅 24:27] 이에 모세와 및 모든 선지자의 글로 시작하여 모든 성경에 쓴 바 자기에 관한 것을 자세히 설명하시니라 (엠마오로 가는 두 제자에게 설명하심)

위의 말씀들을 보면 예수님은 광야에서 마귀에게 시험을 받으실 때도 구약성경의 신명기 말씀을 인용하셨고, 나사렛 회당에서 예배할 때도 이사야 선지자의 글을 읽으시고 이 예언이 응하였다고 말씀하셨으며, 부활하신 후에도 엠마오로 가는 두 제자에게 구약성경 말씀으로 저들을 가르치셨다.

예수님과 사도들은 구약성경을 많이 인용하여 4복음서를 보면 255회나 인용하셨다. 예수님께서 구약성경을 많이 인용하셨고 구약성경의 일점일획도 없어지지 아니하고 다 이루시리라고 하신 것을 보면, 예수님께서 구약성경을 신실한 하나님의 말씀으로 인정하셨다는 것을 분명하게 알 수 있다.

바울 사도의 구약 성경에 대한 증언

[딤후 3:16-17] 모든 성경은 하나님의 감동으로 된 것으로 교훈과 책망과 바르게 함과 의로 교육하기에 유익하니, 이는 하나님의 사람으로 온전케 하며 모든 선한 일을 행하기에 온전케 하려 함이니라

여기서 '모든 성경'의 성경은 원어의 '그라피'로 '기록된 문서'라는 뜻인데 구약성경의 각 책을 의미한다. 당시의 성경은 양의 가죽으로 만든 양피지에 쓴 여러 개의 두루마리로 되어 있었으므로 '모든 성경'은 구약성경 전체를 의미했다. 바울 사도는 구약성경 전체가 하나님의 감동으로 된 것이기 때문에, 성경을 따라 사람을 교육하면 사람이 선한 일을 행하기에 부족함이 없도록 잘 갖춰진 사람이 될 수 있다고 말씀하셨다. 즉, 구약성경은 기록된 하나님의 말씀이라는 뜻이다.

그러므로 구약성경도 예수님께서 인정하시고 바울 사도가 증언한 대로

성령의 감동으로 된 하나님의 뜻을 계시하는 기록된 하나님의 말씀인 것을 믿을 수 있다.

반면에 예수님께서는 구약 성경 외에는 그 당시 다른 어떤 기록도 하나님의 말씀으로 인정하신 것이 없다. 또한, 현재 우리에게 전해진 신약성경만이 유일하게 사도들에 의하여 기록되었거나 사도들이 인정하고 교회들이 400여 년의 오랜 세월 동안 검증하고 인정한 기록이다. 그러므로 신구약 모든 성경이 하나님께 감동을 받아 기록된 유일한 하나님의 말씀인 것을 확실하게 믿을 수 있다. 그러므로 이제는 누구든지 하나님의 말씀에 순종할 수 있고 원하기만 하면 예수님을 믿어 하나님의 구원을 받을 수 있게 된 것이다.

두 가지 믿음

지금까지 우리는 두 가지 믿음을 상고했다. 하나는 예수님이 그리스도시며 살아계신 하나님의 아들이심을 믿고 그 말씀에 순종하는 믿음이고, 또 다른 하나는 성경이 유일하게 기록된 하나님의 말씀임을 믿는 믿음이다.

이 두 가지 믿음은 견고하고 흔들리지 않는 온전한 신앙생활을 위하여 절대로 필요하다. 열심있고 성실한 예수 믿는 사람도 때때로 혼동과 회의를 가질 때가 있기 때문이다. 심지어는 구약 시대의 하박국 선지자와 같은 사람도 하나님의 '의'에 대한 회의 때문에 하나님께 항의했다.

> [하박국 1:2-4] 여호와여 내가 부르짖어도 주께서 듣지 아니하시니 어느 때까지리이까 내가 강포를 인하여 외쳐도 주께서 구원치 아니하시나이다, 어찌하여 나로 간악을 보게 하시며 패역을 목도하게 하시나이까 대저 겁탈과 강포가 내 앞에 있고 변론과 분쟁이 일어났나이다, 이러므로 율법이 해이하고 공의가 아주 시행되지 못하오니 이는 악인이 의인을 에워쌌으므로 공의가 굽게 행함이니이다.

이 말씀은 곧 "하나님! 만일 하나님께서 실존하시고 의로우신 하나님이시라면, 하나님의 말씀이 해이해지고 악인이 의인을 핍박하며 부정부패가 판을 쳐도 왜 가만히 계십니까? 제가 하나님께 부르짖어 간구해도 왜 가만히 계십니까?"라는 회의적인 항의다. 이렇게 선지자도 답답해하며 회의적인 항의를 할 때가 있었다면 우리같이 평범한 사람들이야 오죽하겠는가? 이런 회의를 극복하지 못하면 신앙생활에 실패하게 되고, 세월이 많이 지나 하나님 말씀의 신실함을 깨닫고 나면 그때는 이미 영적으로 커다란 손실을 당한 후가 된다. 그러므로 이런 신앙생활의 위기를 만날 때마다 예수님을 믿는 믿음과 성경이 유일하게 기록된 하나님의 말씀임을 믿는 믿음의 반석으로 돌아가야 한다.

다시 말해서 '사도들의 삶, 특별히 바울 사도의 변화된 삶과 사도들이 남겨 놓은 기록들은, 예수님의 부활이 부인할 수 없는 역사적인 사건이었다는 것을 확실하게 증거한다. 만일 저들이 예수님의 부활을 체험하지 않았다면 도저히 저들이 살았던 삶을 살 수가 없었을 것이다. 그러므로 예수님은 하나님의 아들이셨고 예수님께서 말씀하신 대로 하나님은 실존하시며, 그 인격은 신실하시고 성경은 유일하게 기록된 하나님의 말씀으로 그 말씀은 진리이다. 오직 내가 회의를 갖는 이유는 지극히 제한적인 내 이성과 지성 때문이며, 또한, 하나님의 말씀과 하나님의 계획과 역사하심에 대한 전면적인 이해가 부족하기 때문이다. 세월이 지나면 언젠가는 하나님께서 하나님의 때에 하나님의 방법으로, 분명하게 나의 회의를 풀어 주실 것이며 응답해 주실 것이다.'라는 믿음의 반석으로 돌아가야 한다.

이 두 가지 믿음이 아직 확실하게 정립되지 않았다면, 하나님께 내가 이러한 믿음을 가질 수 있도록 도와주시기를 기도하며, 지금까지 읽은 것을 한 번 더 복습할 것을 제안한다. 그렇게 하는 것이 이 두 가지 믿음이 없이 다음 장을 계속 읽는 것보다 훨씬 더 유익할 것이다.

† 구약전서

창	창세기	왕상	열왕기상	전	전도서	옵	오바댜
출	출애굽기	왕하	열왕기하	아	아가	욘	요나
레	레위기	대상	역대상	사	이사야	미	미가
민	민수기	대하	역대하	렘	예레미야	나	나훔
신	신명기	스	에스라	애	예레미야애가	합	하박국
수	여호수아	느	느헤미야	겔	에스겔	습	스바냐
삿	사사기	에	에스더	단	다니엘	학	학개
룻	룻기	욥	욥기	호	호세아	슥	스가랴
삼상	사무엘상	시	시편	욜	요엘	말	말라기
삼하	사무엘하	잠	잠언	암	아모스		

† 신약전서

마	마태복음	고후	고린도후서	딤전	디모데전서	벧후	베드로후서
막	마가복음	갈	갈라디아서	딤후	디모데후서	요일	요한일서
눅	누가복음	엡	에베소서	딛	디도서	요이	요한이서
요	요한복음	빌	빌립보서	몬	빌레몬서	요삼	요한삼서
행	사도행전	골	골로새서	히	히브리서	유	유다서
롬	로마서	살전	데살로니가전서	약	야고보서	계	요한계시록
고전	고린도전서	살후	데살로니가후서	벧전	베드로전서		

제2장

사람

사랑과 관심의 대상인 사람

"하나님이 세상을 이처럼 사랑하사… 저를 믿는 자마다 멸망치 않고…"
라고 하신 요한복음 3장 16절의 예수님 말씀에 의하면 사람은 지극한 하
나님의 사랑을 받는 특별하고 존귀한 존재다. 사람이 멸망하지 않고 영생
을 얻도록 하나님께서 자기의 독생자를 보내실 정도다.

하나님께 사람은 이토록 소중한 존재로 성경은 처음부터 끝까지 모두
사람에 관한 말씀이다. 성경에는 사람을 향한 하나님의 사랑과 관심, 사람
과 하나님과의 온전한 관계, 사람과 사람과의 올바른 관계, 그리고 사람을
구원하시는 하나님의 구원에 관한 말씀으로 가득 차있다. 사람에 관한 이
야기를 빼면 성경은 창세기 1장 25절로 끝이 난다. 그만큼 사람은 하나님
께 없어서는 안 되는 존귀한 존재요 지극한 사랑과 관심의 대상이다.

반면에 사람은 마귀와 함께 심히 두렵고 떨리는 멸망을 받아야 하는 하
나님 심판의 대상이다. 이는 마귀를 멸망시키는 가장 심한 방법으로 가장
사랑하는 사람을 멸망시키는 큰 이율배반이 된다.

그러면 사람이 도대체 무엇이기에 하나님의 지극한 사랑의 대상인 동시
에 하나님의 극심한 멸망의 대상이 되었을까?

이 질문에 대한 성경의 올바른 해답을 찾게 되면, 그때부터 진실로 참
된 사람의 모습을 보게 되고 따라서 참된 자신의 모습도 볼 수 있다. 다시
말해서 참된 자아발견을 하게 된다. 이렇게 되면 만물의 영장인 사람으로
태어난 것이 얼마나 큰 축복인가를 깨닫고, 지상에서 영원에 이르는 하나
님의 크나큰 축복을 받는 행복한 사람이 되어 실로 역동적이고도 소망찬
놀라운 인생을 살 수 있게 된다. 그러므로 본 장에서는 사람에 대하여 상
고하고자 한다.

1. 사람의 시작과 본분

천지를 창조하신 하나님

> [창 1:1-2] 태초에 하나님이 천지를 창조하시니라, 땅이 혼돈하고 공허하
> 며 흑암이 깊음 위에 있고 하나님의 신은 수면에 운행하시니라

> [창 2:1-2] 천지와 만물이 다 이루니라, 하나님의 지으시던 일이 일곱째
> 날이 이를 때에 마치니 그 지으시던 일이 다하므로 일곱째 날에 안식하시
> 니라

사람을 지으신 하나님

> [창 1:26-28] 하나님이 가라사대 우리의 형상을 따라 우리의 모양대로
> 우리가 사람을 만들고 그로 바다의 고기와 공중의 새와 육축과 온 땅과 땅
> 에 기는 모든 것을 다스리게 하자 하시고, 하나님이 자기 형상 곧 하나님의
> 형상대로 사람을 창조하시되 남자와 여자를 창조하시고, 하나님이 그들에
> 게 복을 주시며 그들에게 이르시되 생육하고 번성하여 땅에 충만하라, 땅
> 을 정복하라, 바다의 고기와 공중의 새와 땅에 움직이는 모든 생물을 다스
> 리라 하시니라

창세기는 성경의 첫 번째 책으로, 천지만물이 어떻게 존재하게 되었으며
어떻게 변화되어 왔는가를 설명하고 있다. 하나님께서는 태초에 천지와 만물
을 말씀으로 창조하시고 맨 마지막에 사람을 지으시고 안식하셨다고 했다.

사람의 시작과 본분에 대하여는 창세기 1장 26절 이하에 총괄적으로 간
략하게 요약해 놓았다. 이 말씀에 의하면 사람도 다른 모든 피조물과 동일
하게 하나님의 지으심을 받아 그 존재가 시작되었지만, 다른 피조물과는
전혀 다르게 '하나님의 형상 하나님의 모양'대로 지음을 받았다고 했다. 이
것이 사람이 하나님의 특별한 사랑을 받는 피조물이 된 이유다.

여기서 '하나님의 형상 하나님의 모양'이란 히브리 원어의 '첼렘(형상)'과 '데무트(모양)'라는 말로 다른 피조물에서는 찾아볼 수 없는 '자아의식, 하나님을 의식하는 영성, 자유와 책임, 윤리와 도덕성 및 인격적인 면에서 하나님과 사람이 함께 나누는 유사성'을 의미한다.

그러므로 사람은 남자나 여자나 차이 없이 '하나님의 형상 하나님의 모양'대로 지음을 받은, 하나님과 유사성을 지닌 아주 특별하고도 존귀한 인격적인 존재이다. 이 말씀은 곧 사람은 처음부터 인격과 생명의 존엄성을 가지고 태어났다는 뜻이다.

그러므로 다른 사람의 인격을 무시하고 자기만이 최고라고 우쭐하는 교만이나, 자신을 못났다고 꾸짖는 자신에 대한 열등감은 모두 하나님 앞에서는 합당치 않은 태도이다.

나는 눈이 참 작다. 웃을 때에는 더욱 작아져서 마음 놓고 웃으면 아예 눈이 보이지 않을 정도다. 그래서 어려서부터 몇 살 위인 고모와 사촌 누이들에게 놀림을 많이 받았다. 눈만 아니라 키도 작다. 중고등 학교 시절에는 키가 작은 학생부터 번호를 주었는데, 반에서 12번을 넘어가 본 적이 없어서 덩치 큰 학우들로부터 압박과 설움을 많이 당했다. 게다가 나의 어려운 가정형편은 초라한 내 모습과 더불어 나를 몹시 괴롭혔는데, 그것들이 나중에는 나의 큰 열등의식으로 변했다. 그러다가 대학생 때 예수님을 열심히 믿고 성경 공부를 하던 중에 하나님께서 사람을 '하나님의 형상 하나님의 모양대로 지으셨다.'는 구절을 읽게 되었다. 그 순간, '나도 하나님의 형상 하나님의 모양대로 지음을 받았구나!'하는 깨달음이 내 마음과 생각을 강하게 흔들며 파고들었다. 신학적인 의미나 해설이 필요 없이 그 말씀이 그대로 나를 치고 들어온 것이다.

'나는 진정 하나님의 형상 하나님의 모양대로 지음을 받은 참으로 존귀한 존재이구나! 나의 인격도 나의 재능도 모두 모두…. 그렇다면! 그렇다면! 왜 내가 나의 모습을 부끄러워해야 하는가? 이는 하나님에 대한 모독이요, 불

경건이요 죄악이 아닌가?' 그날 나는 큰 충격 속에 진심으로 회개했다.

"하나님 아버지, 저를 용서하여 주시옵소서. 하나님께서는 하나님의 지혜와 능력으로 저를 하나님의 형상 하나님의 모양대로 지으셨는데, 저는 저 자신을 너무너무 못마땅하게 여기고 부끄러워했습니다. 지금 이 시각 후로는 다른 사람들의 모습과 비교하지 않고 하나님께서 지어주신 내 모습 이대로 감사하며 기쁘고 즐겁게 그리고 보람있게 남은 생애를 살겠습니다. 그렇게 살 수 있도록 도와주시옵소서. 예수님의 이름으로 기도하옵나이다. 아멘"

이렇게 기도하고 나자 나의 온 마음과 생각이 무거운 짐을 내려놓은 듯이 가벼워졌고 기쁨이 가득해졌다. 그 후에도 나는 여러 번 거울에 비치는 내 눈을 보며, "너의 이 눈도 하나님의 작품이다. 하나님의 작품은 아름답다."고 말하면서 웃는 연습을 했다. 그러고 보니 실눈으로 감기는 내 웃는 모습이 초승달 같이 매력이 있어 보였다. 그 후로 나는 사람들을 볼 때마다 열심히 웃으며 나의 웃음을 선사했다. 교회에서도 많은 분이 나의 웃는 모습을 좋아했다. 친구들도 나의 웃는 모습을 좋아하면서 나를 '하이눈'이라고 부르기 시작했다. '하이눈'은 영어와 한국말이 혼합된 'Hi 눈'으로서 '안녕하십니까? 눈 씨'라는 뜻이다. 나는 이 별명을 아주 좋아한다. 그리고 마침내는 나의 그 고유한 웃음으로 나에게 걸맞지 않은 아름다운 아가씨를 매혹시켜 결혼하고 지금까지 행복하게 살고 있다.

뿐만 아니라 그날 이후로는, 하나님의 형상 하나님의 모양대로 지음 받은 피조물로서 나를 향한 하나님의 뜻은 과연 무엇일까 하는 질문을 계속 나의 마음과 생각에 품고 살았다.

이 질문은 나로 하여금 진정한 나를 찾을 수 있도록 지금까지도 많은 도움을 주고 있으며, 그 이후로는 나를 괴롭히던 심한 열등의식에서 자유로워져 내 모습 그대로 만족하며 충실한 삶을 살게 되었다. 지금도 그 마음에는 변함이 없으니 실로 놀라운 하나님의 축복이 아닐 수 없다.

하나님께서는 사람을 하나님의 형상 하나님의 모양대로 존귀하게 지으셨을 뿐만 아니라, 생육하고 번성하며 땅에 충만하고 땅을 정복하고 다스리라고 축복하셨다. 그러므로 사람이 이 세상에 태어나는 것과 온전한 인격체로 성장하여 한평생 사람으로서 사람답게 사는 것은, 하나님께서 처음부터 계획하신 바이며 지고하고 아름다운 하나님의 뜻이다. 사람은 단지 동물 중에 하나가 아니고 만물의 영장이다. 만물의 영장으로서 이 세상을 산다는 것은 실로 살아 볼만한 가치가 있는 것이다. 망망대해에 표류하는 일엽편주처럼 목표도 없고 방향도 없이 오늘은 이리로 내일은 저리로 바람 부는 대로 물결치는 대로 밀려가며 살거나, 스스로 삶을 포기하기에는 너무나 아까운 인생이다. 승리와 영광과 존귀의 관을 씌워도 모자랄 존재이다.

하나님께서는 인간이 생육할 뿐만 아니라, 번성하여 땅에 충만하고 땅을 정복하여 모든 생물을 다스리는 축복을 누릴 수 있도록 사람에게 재능과 은사와 지혜와 지식과 능력을 주셨다. 그러므로 사람은 창조주 하나님의 뜻을 따라 만물을 관리하고 다스리는 사람이 되어야 한다. 이 세상 것들에 매여 종노릇하지 말고, 오히려 만물을 다스리는 하나님의 청지기 역할을 잘 감당해야 한다. 이 모든 것이 하나님과 사람과의 관계이자 사람의 본분으로 다음과 같이 정리할 수 있다.

> 1. 사람은 하나님을 창조주 하나님으로 경외하여야 한다.
> 2. 사람은 자신이 하나님의 피조물임을 인식하고 하나님 뜻에 순종해야 한다.
> 3. 사람은 하나님의 형상 하나님의 모양대로 지음 받은 존귀한 존재임을 인식하고 자신과 다른 사람을 존중해야 한다.
> 4. 사람은 하나님의 축복대로 생육하고 번성하며 땅에 충만하고 땅을 정복하며, 모든 생물을 하나님의 뜻을 따라 다스려야하는 하나님의 청지기임을 인식하고 그 역할을 잘 감당해야한다.

사람은 이 모든 본분을 잘 감당해야 할 뿐만 아니라, '나는 처음부터 하나님의 형상 하나님의 모양대로 지음을 받은 존귀한 존재다.'라는 사실을 결코 잊지 말고, 다른 사람들이 인정해주지 않더라도 하나님께 감사하며 자신과 이웃을 사랑하는 삶을 살아야 할 것이다.

2. 사람의 구성

> [창 2:7-9] 여호와 하나님이 흙으로 사람을 지으시고 생기를 그 코에 불어 넣으시니 사람이 생령이 된지라, 여호와 하나님이 동방의 에덴에 동산을 창설하시고 그 지으신 사람을 거기 두시고, 여호와 하나님이 그 땅에서 보기에 아름답고 먹기에 좋은 나무가 나게 하시니 동산 가운데에는 생명나무와 선악을 알게 하는 나무도 있더라

이 말씀은 하나님께서 사람 특히 남자를 지으신 과정을 좀 더 구체적으로 설명한다. 하나님께서 천지를 지으시고, 하늘의 해와 달과 별과 땅의 바다와 육지와 더불어 그 모든 생물을 지으신 후에 마지막으로 사람을 지으셨다. 여기서 '사람'은 원어의 '아담'이라는 말로, 보통명사로서는 일반 남자를 말하며 고유 명사로서는 최초의 남자인 아담을 의미한다.

하나님께서 남자를 지으신 과정은 흙으로 사람을 만드시고 코에 생기를 불어 넣으심으로 생령이 되게 하셨다고 했다. 여기서 '흙'은 원어의 '아파르 민 하아다마'로 직역하면 '땅의 티끌' 즉, '먼지'라는 뜻이다. 이는 물질의 원소를 의미할 수도 있다. '생기'는 '네솨마'라는 단어로 '하나님의 호흡'을 의미하며, '생령'이란 '네페쉬하야'로 '살아 있는 존재'라는 뜻이다. 그러므로 사람은 흙으로 표현된 땅의 물질과 하나님의 호흡으로 표현된 비물

질로 구성되어 살아 있는 존재가 된 것이다. 이것이 사람과 짐승의 차이점이다. 짐승들은 사람과 같은 흙으로 지음을 받아 물질적인 재료는 같지만 하나님의 호흡인 '생기'가 없고, 사람은 하나님의 호흡인 '생기'를 부여받아 생령이 된 특별한 피조물이다. 그러면 과연 사람의 물질로 된 부분과 비물질로 된 부분은 어떠한 기능을 하는 것일까?

> [살전 5:23] 평강의 하나님이 친히 너희로 온전히 거룩하게 하시고 또 너희 온 영과 혼과 몸이 우리 주 예수 그리스도 강림하실 때에 흠 없게 보전되기를 원하노라

이 말씀에서 바울 사도는 "너희 온 영과 혼과 몸이 우리 주 예수 그리스도 강림하실 때에 흠 없게 보전되기를 원하노라."고 함으로써, 사람의 구성요소에 대하여 누구보다도 구체적으로 언급하셨다. 여기서 '영'은 원어의 '프뉴마'로 '하나님과 영적 교제의 기능을 담당하는 비물질 부분'을, '혼'은 '프쉬케'로 '자아의식의 기능을 담당하는 비물질 부분'을, 그리고 '몸'은 '소마'로 '우리의 물질 부분인 몸'을 의미한다.

그러므로 사람은 물질로 된 몸과 비물질인 영과 혼으로 구성되어 있다. 하나님께서 흙으로 사람을 만드시고 생기를 불어넣어 사람이 생령이 되게 하셨으니, 물질인 흙으로는 우리의 몸을 만들어 기능하게 하시고 생기로는 비물질인 영혼을 불어넣으셔서 사람으로 하여금 하나님과 교제하며 자신을 의식할 수 있는 생령이 되게 하신 것이다.

하나님께서는 사람을 지으신 후에 에덴동산을 만드시고 그곳을 사람의 거처로 주셨다. 여기서 '에덴'은 원어로 '기쁨, 환희'이고, '동산'은 '정원'으로 실로 기쁨과 환희가 넘치는 정원으로, 거기에는 보기에도 아름답고 먹기에도 좋은 과일나무들이 무성했다. 동산 중앙에는 생명나무와 선악을 알게 하는 나무도 있었다. '생명나무'가 어떻게 생긴 나무였는지 우리는 알 수 없지만, 창세기 3장 22절에 "여호와 하나님이 가라사대 보라 이 사람

이 선악을 아는 일에 우리 중 하나같이 되었으니 그가 그 손을 들어 생명나무 실과도 따먹고 영생할까 하노라 하시고…."라고 하신 것을 보면, 생명나무는 그 열매를 먹으면 사람이 영생하게 되는 나무였음을 알 수 있다.

'선악을 알게 하는 나무'도 어떻게 생겼었는지 알 수 없지만, '선악'이라는 단어가 사무엘하 14장 17절에 "왕은 선과 악을 분간하는 지혜가 있습니다."라고 쓰인 것을 보아, 사람이 그 나무의 열매를 먹으면 선과 악을 스스로 분별하는 지혜와 능력을 갖게 되는 나무였음을 알 수 있다.

3. 사람의 권한

> [창 2:15-17] 여호와 하나님이 그 사람을 이끌어 에덴 동산에 두사 그것을 다스리며 지키게 하시고, 여호와 하나님이 그 사람에게 명하여 가라사대 동산 각종 나무의 실과는 네가 임의로 먹되, 선악을 알게 하는 나무의 실과는 먹지 말라 네가 먹는 날에는 정녕 죽으리라 하시니라

하나님께서는 에덴동산에 사람을 거주하게 하셨을 뿐만 아니라 에덴동산을 다스리며 지키게 하셨다. '다스리며'는 원어로 '일하다, 경작하다'는 뜻이고, '지키다'는 '울타리를 치다, 보존하다'라는 뜻이다. 즉 에덴동산에서의 삶은 무위도식하는 무미건조한 삶이 아니라 보기에도 아름답고 먹기에도 좋은 열매 맺는 나무들로 가득한 과수원을 경작하고, 풍성한 열매를 거두는 기쁨을 누리며 하나님이 맡기신 환희의 동산을 원래대로 지키는 보람 있는 삶이었다. 이것이 하나님께서 아담에게 주신 첫째 권한이었다.

둘째 권한은 선악과 이외에는 생명나무 열매까지 포함하여 에덴동산의 각종 나무의 실과를 임의로 먹을 수 있었다. 이는 하나님의 크신 호의였고 축복이었다.

그러나 선악과에 대하여는 "선악을 알게 하는 나무의 실과는 먹지 말라

네가 먹는 날에는 정녕 죽으리라."고 하셨다. 여기서 '먹는 날에는' 원어로 '먹는 바로 그날 안에'라는 뜻이다.

아담이 이 말씀을 들었을 때 먹는 것이나 날은 체험해 보았기에 알 수 있었지만, '죽으리라.'는 말은 도저히 이해할 수 없었을 것이다. 아담은 '죽음'을 체험하지 못했기 때문이다. 이 말씀은 네가 죽음이 무엇인지 알지 못하지만 내 말을 믿고 선악과를 먹지 말라는 말씀이었다. 에덴의 축복은 믿음과 순종을 전제로 하는 하나님의 축복이었다. 하나님의 축복은 믿음과 순종을 전제로 한다는 이 원리는 지금도 계속되고 있으며 영원까지 계속될 것이다.

또한, "네가 먹는 날에는 정녕 죽으리라."는 말씀은, 내가 너에게 선악을 알게 하는 나무의 실과는 먹지 말라고 했지만, 만일 네가 내 말을 거역하고 먹으면 너는 그날 안에 정녕 죽으리라는 말씀이었다. 아담은 하나님께 순종하거나 거역할 수 있는 자유가 주어졌다. 이것을 '선택의 자유' 또는 '자유의지'라고 한다. 이것이 사람에게 주어진 셋째 권한이었다.

이 권한은 처음부터 하나님의 형상과 모양대로 지음을 받은 사람에게 주어진 특성으로, 하나님께서는 특별한 경우가 아니면 좀처럼 침해하지 않으신다. 이는 하나님께서 지으신 만물의 운행 법칙을 특별한 경우가 아니면 좀처럼 변경하지 않으시는 것과 같은 원리이다. 그러나 중요한 것은 선택의 자유에는 책임이 따른다는 것이다. "네가 먹는 날에는 정녕 죽으리라."하신 하나님의 말씀은 바로 아담의 선택에 대한 사전 경고요, "그 책임은 네가 지리라."는 말씀이었다.

하나님께서는 사람이 선택하기 전에 그 결과에 대하여 미리 예고하신다. 그러나 일반적으로 선택의 자유를 임의로 막지는 않으신다. 사람은 하나님과 온전한 교제를 할 수 있도록 하나님의 형상 하나님의 모양을 따라 온전한 인격체로 지음을 받았기 때문이다. 하나님께서는 사람의 인격을 그만큼 존중해 주시기 때문에 지혜로운 선택의 중요성은 아무리 강조해도 지나치지 않는다. 사실 어떻게 보면 우리에게 선택권 없이 주어진 것들과 의무적으로 해야 하는 것들도 많지만, 우리 인생의 대부분의 생사화복이 우리 선택의 결과라고 해도 과언이 아니다. 그래서일까? 인생을 B(birth-출생)와 D(death-죽음) 사이에 C(choice-선택)라고도 하지 않던가?

4. 사람을 지으신 목적과 축복

> [창 1:26-28] 하나님이 가라사대 우리의 형상을 따라 우리의 모양대로 우리가 사람을 만들고 그로 바다의 고기와 공중의 새와 육축과 온 땅과 땅에 기는 모든 것을 다스리게 하자 하시고, 하나님이 자기 형상 곧 하나님의 형상대로 사람을 창조하시되 남자와 여자를 창조하시고, 하나님이 그들에게 복을 주시며 그들에게 이르시되 생육하고 번성하여 땅에 충만하라 땅을 정복하라 바다의 고기와 공중의 새와 땅에 움직이는 모든 생물을 다스리라 하시니라

하나님께서는 사람을 지으시되 하나님의 형상과 하나님의 모양대로 온전한 인격과 선택의 자유와 하나님과 교제할 수 있는 능력을 갖춘 피조물로 지으시고 낙원 같은 에덴동산에서 살게 하셨다. 뿐만 아니라 사람을 남녀로 지으셔서 가정을 이루어 행복하게 살며, 생육하고 번성하여 땅을 정복하고 다른 모든 피조물을 관리하도록 축복하셨다.

여기까지가 모세를 통하여 보여주신 하나님께서 사람을 지으신 목적과 사람에게 베푸신 하나님의 축복이다. 그러나 우리가 차차 살펴보겠지만, 예수님께서 부활 승천하신 후에 사도들을 통하여 우리에게 보여주신 하나님께서 사람을 지으신 목적과 사람에게 베푸신 축복은, 모세를 통하여 알려주신 목적과 에덴의 축복과는 비교조차 할 수 없는 엄청난 것이었다. 모세를 통하여 보여 주신 사람을 지으신 목적과 축복은 그리스도 예수 안에서 계획하신 하나님의 영원한 뜻을 이루는 과도기에 불과했다. 그럼에도 불구하고 하나님께

서 사람에게 베푸신 이 땅에서의 축복은 실로 아름답고 기름진 축복이었다.

그러나 오늘날 우리의 현실은 창조시와는 너무나 많이 달라졌다. 어디를 가든지 무정함이 가득하고, 가난, 불의, 추악, 탐욕, 악의, 악독, 시기, 질투, 살인 등이 넘쳐나니 하나님의 역사는 전혀 보이지 않는 것 같다. 진정으로 하나님을 찾는 자도 드문 세상, 세상은 왜 이렇게 되었을까?

5. 사람과 세상의 변화

뱀의 유혹과 사람의 실족

[창 3:1-7] 여호와 하나님의 지으신 들짐승 중에 뱀이 가장 간교하더라 뱀이 여자에게 물어 가로되 하나님이 참으로 너희더러 동산 모든 나무의 실과를 먹지 말라 하시더냐, 여자가 뱀에게 말하되 동산 나무의 실과를 우리가 먹을 수 있으나, 동산 중앙에 있는 나무의 실과는 하나님의 말씀에 너희는 먹지도 말고 만지지도 말라 너희가 죽을까 하노라 하셨느니라, 뱀이 여자에게 이르되 너희가 결코 죽지 아니하리라, 너희가 그것을 먹는 날에는 너희 눈이 밝아 하나님과 같이 되어 선악을 알 줄을 하나님이 아심이니라, 여자가 그 나무를 본즉 먹음직도 하고 보암직도 하고 지혜롭게 할만큼 탐스럽기도 한 나무인지라 여자가 그 실과를 따먹고 자기와 함께 한 남편에게도 주매 그도 먹은지라, 이에 그들의 눈이 밝아 자기들의 몸이 벗은 줄을 알고 무화과나무 잎을 엮어 치마를 하였더라

창세기 3장 첫 부분에는 인류의 조상 아담의 아내가 자녀를 낳기 전에 뱀과 대화하는 장면이 기록되어 있다. 뱀은 하나님께서 지으신 모든 들짐승 가운데 가장 간교한 짐승이라고 했다. 따라서 이 뱀은 분명히 물질적인 뱀으로, 뱀과 여자가 대화한 것을 보면 당시에는 사람이 짐승들과 의사소통이 자유로웠던 것 같다. 그래야 사람이 모든 생물을 다스릴 수 있었을 것이다.

여기서 '간교하다'의 원어인 '아룸'은 좋은 의미로는 '영리하고 신중하다[잠 12:16]'는 뜻이고, 나쁜 의미로는 '간교하다, 교활하다[욥 5:12]'는 뜻이다. 영어로는 'subtle'로 번역되었는데, '즉각적으로 분명하거나 이해가 되지 않는다.'는 뜻이다. 사람들이 사기꾼들의 영리함과 간교함을 모르고 얼떨결에 그들을 믿고 따라 가다가 한참 지나서야 잘못을 깨달았을 때는 너무 늦어 패가망신하는 경우가 종종 있다. 이것이 사기꾼의 '아룸'이다. 영리함은 좋게 쓰이면 더없이 유익하나 나쁘게 쓰이면 더 없는 해악이 되는 성품이다. 사실 '아룸' 뿐만 아니라 우리에게 주어진 모든 재능, 지능, 능력, 재물, 명예, 지위, 권세 등도 마찬가지이다.

뱀의 경우도 마찬가지로 뱀이 가장 '아룸, 영리한' 들짐승으로 지음 받은 것은 큰 축복이었으나, 뱀은 이러한 성품을 가지고 아래와 같이 여자를 감언이설로 설득시켜 하나님을 거역하게 하는 악으로 사용하였다.

"하나님의 하신 말씀은 진실이 아니다. 거짓말이다. 선악과를 먹어도 결코 죽지 않는다. 사실은 너희가 선악과를 먹으면 눈이 밝아져서 하나님처럼 되어 선악을 알 것을 하나님이 아심으로, 하나님은 자기만 하나님 되려는 이기적인 하나님이시기 때문에, 너희 더러 먹지 말라고 한 것이다. 하나님이 너희에게 거짓말 한 것이다."

뱀의 말이 얼마나 설득력이 있었는지 여자는 하나님의 말씀보다도 뱀의 말을 더 믿었고, 하나님처럼 되려는 탐심에 남편과 의논도 없이 독단적으로 결정을 내리고 선악과를 따먹었다. 자기만 먹지 않고 남편에게도 주어서 먹게 하여 부부가 함께 실족했다.

사람이 선악과를 먹고 난 결과는 "이에 그들의 눈이 밝아 자기들의 몸이 벗은 줄을 알고 무화과나무 잎을 엮어 치마를 하였더라.'이다.

그러면 전에도 벌거벗고 살았지만 부끄러워하지 않았고 문제도 되지 않았는데, 왜 선악과를 먹은 후에는 벗은 것을 알고 치마를 만들어 입게 되었을까?

전에는 벌거벗어도 부끄럽지 않을 만큼 아름다운 몸과 몸에서 풍기는 영광을 가졌으나, 선악과를 먹은 후에는 그 영광이 떠나고 온몸이 변하고 망가져서 보기에 흉하게 되었다. 그래서 벌거벗은 것이 문제가 되어 이를 가리기 위해 치마를 해 입었다고도 생각할 수 있다.

그러나 오직 그 이유뿐이라면 구태여 '눈이 밝아'라는 말을 할 필요가 없었을 것이다. 눈이 밝아지지 않아도 망가진 몸을 충분히 볼 수 있는 시력을 가지고 있었고, 또한, 치마만 만들어 입을 것이 아니라 온몸을 다 가릴 옷을 만들어 입었어야 했을 것이다. 그러므로 선악과를 먹은 후에 몸이 흉하게 망가져서 이를 가리기 위하여 무화과나무 잎으로 치마를 만들어 입은 것이 아님이 분명하다.

그렇다면 다른 이유는 무엇이었을까? 그 이유는 '눈이 밝아 자기들의 몸이 벗은 줄을 알았다.'는 것이다.

여기서 '밝아'의 원어는 '파카흐'로 문자적으로는 '개안(開眼) 되다. 눈이 뜨이다.'라는 뜻이나, 의미적으로는 '볼 수 없던 새로운 것을, 또는 보아서는 안 되는 것을 보게 되었다.'는 뜻이다.

뱀에게 꼬임을 받았을 때 '여자가 그 나무를 본즉 먹음직도 하고, 지혜롭게 할 만큼 탐스럽기도 한 나무인지라.'라고 한 것을 보면, 선악과를 먹기 전에도 아담과 그의 아내가 에덴동산을 관리하기에 부족함 없는 시력을 가지고 있었음이 분명하다. 그러므로 여기서 '눈이 밝아, 눈이 떠어'라는 말은 시력이 밝아졌다는 뜻이 아니라, 이전에는 보아도 보이지 않았고 또 보아서는 안 되는 것들을 이제는 보게 되었다는 뜻이다.

남녀가 서로 열렬히 사랑할 때는 모든 것이 아름답고 좋게 보여, 하루라도 만나지 못하면 안달이 나고 꿈에라도 보고 싶어진다. 그러나 마음이 변하여 사랑이 식으면 전에는 문제 되지 않던 것들이 문제가 되고, 보이지 않던 단점들이 하나씩 둘씩 보이기 시작한다. 이것은 사람의 물질적인 외형이나 체질적인 부분들이 변해서가 아니라 마음이 변했기 때문이다. 마음이 변했다는 것은 그 사람의 마음과 인격의 본체인 영혼에 변화가 생겼다는 말이다.

이처럼 선악과를 따먹은 후에 사람에게 제일 먼저 생긴 변화는, 개안된 물질적인 몸의 시력이 아니라 영혼의 변화였다. 영혼에 변화가 생겨 서로 벗은 것을 알게 되자 벗은 것이 좋지 않게 보이기 시작한 것이다. 그래서 그들은 그들에게 좋지 않게 보이는 것을 가리기 위해 무화과나무 잎을 엮어 치마를 만들어 입었던 것이다.

이는 아담과 하와가 전혀 상상할 수 없었던 실로 중대하고 심각한 문제였다. 왜냐하면, 비물질 부분인 영혼은 하나님의 생기에 의하여 생성되었고, 하나님의 생기는 사람이 '생령'이 되는 근본 요소였기 때문이다. 사람의 영혼에 변화가 생겼다는 사실은, 사람이 생령이 되는 근본 요소인 하나님이 불어넣어 주신 생기에 변화가 생겼다는 것으로 이는 사람에게 참으로 심각한 문제였다.

하나님이 두려워 피하고 숨은 사람

> [창 3:8-10] 그들이 날이 서늘할 때에 동산에 거니시는 여호와 하나님의 음성을 듣고 아담과 그 아내가 여호와 하나님의 낯을 피하여 동산 나무 사이에 숨은지라, 여호와 하나님이 아담을 부르시며 그에게 이르시되 네가 어디 있느냐, 가로되 내가 동산에서 하나님의 소리를 듣고 내가 벗었으므로 두려워하여 숨었나이다

이 말씀은 전절에서 계속되는 말씀이다. 여기서 '날이 서늘할 때에'라는 말은 원어의 '바람이 불 때에'라는 뜻으로 하나님의 임재 하심을 의미한다. 하나님께서 아담과 그 아내를 찾아오셔서 아담을 부르시며 "네가 어디 있느냐?"하고 찾으실 때, 아담이 "하나님의 소리를 듣고 내가 벗었으므로 두려워하여 숨었나이다."라고 했다. 그러니까 아담이 하나님의 음성을 들었

을 때 자기를 부르시는 하나님이 반갑고 좋아서 뛰어 나간 것이 아니라, 하나님이 두려워서 숨었는데 그 이유는 '내가 벗었으므로'이다.

그러면 왜 선악과를 먹기 전에는 벗은 것이 하나님과 아담 사이에 전혀 문제가 되지 않았는데, 아담이 선악과를 먹고 나서는 그가 벗은 것이 하나님을 두려워하여 숨을 만큼 심각한 문제가 되었을까? 선악과를 먹기 전에 벗은 것과 먹은 후의 벗은 것의 차이는 과연 무엇이었을까?

스스로 선악을 판단하게 된 사람

> [창 3:11-12] 가라사대 누가 너의 벗었음을 네게 고하였느냐 내가 너더러 먹지 말라 명한 그 나무 실과를 네가 먹었느냐, 아담이 가로되 하나님이 주셔서 나와 함께 하게 하신 여자 그가 그 나무 실과를 내게 주므로 내가 먹었나이다

이는 전절에서 계속되는 말씀으로, 여기서 "누가 너의 벗었음을 네게 고하였느냐?"의 '고하다'는 원어로 '반대편에 서서 말한다. 반대 의견을 말한다.'는 뜻이다. 그러므로 "누가 너의 벗었음을 네게 고하였느냐?" 하신 말씀은, "누가 너의 벗은 것의 반대편에 서서, 너의 벗은 것이 잘못된 것, 좋지 않은 것, 즉 악한 것이라고 지적하더냐?"라는 뜻이다. 이 말씀은 "아무도 너에게 벗은 것이 좋지 않다, 악하다고 말해준 자가 없지 않으냐? 네가 스스로 그렇게 판단한 것이 아니냐? 그렇다면, 네가 스스로 선악을 판단했구나. 그러니 네가 선악과를 먹었구나. 그렇지 않으냐?"라고 하신 아주 중요한 말씀이다.

아담과 그의 아내가 무화과나무 잎으로 치마를 만들어 가린 것은, 하나님의 선악의 기준을 버리고 독립하여 자신의 선악의 기준대로 살겠다는 뜻이었다. 그랬기 때문에 하나님의 음성이 들려올 때 하나님이 두려워서 나무 사이에 숨었던 것이다. 선악과를 먹기 전의 '벗음'은 하나님께서 선

하게 판단하시어 행하신 '벗음'을 선한 '벗음'으로 받아들인 것이요, 선악과를 먹은 후의 '벗음'은 그것을 선하지 않다고 판단한 '벗음'이었다. 이것이 선악과를 먹기 전에 벗음과 먹은 후의 벗음의 차이다. 그러므로 아담이 "내가 벗었으므로 두려워하여 숨었나이다."라고 한 말은 "내 마음의 눈이 열려, 즉 영혼의 변화가 생겨 내가 벗었음을 알게 되었고, 하나님께서 만들어 주신 그 선하게 여기시는 벗음을 나는 악하다고 판단하여 내가 스스로 치마를 만들어 가렸으므로 하나님이 두려워 숨었나이다."라는 의미의 두려운 고백이었다.

그래서 처음부터 축복의 근원이었던 하나님은 선악과 사건 이후에는 아담에게 갈등과 두려움의 존재가 되었다. 하나님께서 선하다 하시는 것이 아담에게는 악하게 보이고, 하나님께서 악하다 하시는 것이 아담에게는 선하고 타당하게 보이니 어찌 하나님과 화목할 수 있겠는가? 어찌 갈등을 피할 수 있겠는가? 하나님과 갈등이 생겼으니 어찌 하나님이 두렵지 않을 수가 있겠는가?

뿐만 아니라 "내가 너더러 먹지 말라 명한 그 나무 실과를 네가 먹었느냐?"고 하신 하나님의 질문에, 아담은 "하나님이 주셔서 나와 함께하게 하신 여자 그가 그 나무 실과를 내게 주므로 내가 먹었나이다."라고 대답했다. 이 말은 곧 "내가 선악과를 먹기는 먹었지만 근본 원인은 하나님과 저 여자에게 있습니다. 만일 하나님께서 저 여자를 내게 주셔서 나와 함께 하게 하시지 않았다면 이런 일은 일어나지 않았을 것입니다. 그러므로 하나님과 저 여자와 둘이 알아서 책임지고 해결하시기 바랍니다. 나는 책임이 없습니다."라는 뜻이다.

물론 아담과 하와의 존재는 일방적인 하나님의 뜻에 의하여 이루어졌다. 그러므로 아담과 하와의 존재에 대한 책임은 하나님께 있다. 하나님께서는 하나님의 선하신 뜻을 따라 그들을 존재하게 하신 책임을 지실 것이다. 그것은 하나님의 몫이다. 이에 대하여는 차후에 자세히 살펴볼 것이다.

그러나 하나님께서 아담과 하와를 하나님의 형상 하나님의 모양대로 지으셨고, 하나님과 교제할 수 있는 온전한 인격체와 자유의지를 가진 사람으로 지으셨기 때문에, 아담과 하와의 모든 자율적인 선택에 의한 결과는 당연히 아담과 하와가 책임을 져야 했다.

또한, 하나님께서 "동산 각종 나무의 실과는 네가 임의로 먹되, 선악을 알게 하는 나무의 실과는 먹지 말라 네가 먹는 날에는 정녕 죽으리라."고 하신 것은 여자에게 하신 말씀이 아니라, 여자가 지음을 받기 전에 아담에게 친히 하신 말씀이었다. 하나님께서는 아담에게 미리 선택의 결과를 예고해 주셨다. 그러므로 아담은 자기 아내가 선악과를 먹으라고 주었을 때, 얼마든지 하나님의 말씀을 믿고 그 말씀을 따라 순종하며 아내를 책망할 수도 있었다. 그리고 하나님께 나아가 아내를 위하여 용서를 구할 수도 있었으나 아담은 그렇게 하지 않았다. 하나님의 말씀을 알고도 아내의 말을 듣고 선악과를 스스로 선택하여 먹은 것이다. 눈이 밝아 하나님처럼 되기를 원하는 마음과 선악과를 먹으면 하나님처럼 될 것으로 믿는 믿음도 있어서 하나님을 의심하였으며, 아내를 통하여 들은 뱀의 말을 더 믿고 선악과를 먹기로 선택하고 행동으로 옮긴 것이다.

그러므로 선악과를 먹고 난 후의 결과는 전적으로 아담 자신의 책임이었음에도 불구하고, 아담은 오히려 하나님과 아내를 원망했다. "이는 내 뼈 중에 뼈요 살 중에 살이라."고 노래하던 아내를 향한 지극한 사랑의 고백은 사라지고, 아담은 자기의 실수를 하나님과 아내에게 전가하며 자기만 살겠다고 발버둥치는 비겁하고도 이기적이 사람으로 전락했다.

이러한 행태는 오늘날도 마찬가지여서, 모든 잘못은 모두 너 때문이고 나 때문이라는 사람은 찾아보기 어렵다. 이것은 모두 아담의 후손으로 태어난 사람들의 변질된 영혼으로 인한 타락한 인격 때문이다.

하나님의 심판과 구원의 언약

> [창 3:13] 여호와 하나님이 여자에게 이르시되 네가 어찌하여 이렇게 하였느냐 여자가 가로되 뱀이 나를 꾀므로 내가 먹었나이다, 여호와 하나님이 뱀에게 이르시되 네가 이렇게 하였으니 네가 모든 육축과 들의 모든 짐승보다 더욱 저주를 받아 배로 다니고 종신토록 흙을 먹을지니라, 내가 너로 여자와 원수가 되게 하고 너의 후손도 여자의 후손과 원수가 되게 하리니 여자의 후손은 네 머리를 상하게 할 것이요 너는 그의 발꿈치를 상하게 할 것이니라 하시고

이 말씀도 역시 계속되는 말씀으로, 하나님께서는 아담의 말을 들으시고 여자에게 어찌하여 이렇게 하였느냐고 물으셨다. 하나님께서 아담을 향하여 "네가 어디 있느냐?" "누가 너의 벗었음을 네게 고하였느냐?" "내가 너더러 먹지 말라 명한 그 나무 실과를 네가 먹었느냐?" 또 여자에게 "네가 어찌하여 이렇게 하였느냐?"하고 계속 질문하셨다.

천지를 말씀으로 지으신 전지전능하신 하나님께서 모르셔서 계속 물으셨을까? 그럴 리가 없다. 그것은 어린 애들이 잘못했을 때 부모가 자식을 사랑하기 때문에, 자식이 잘못한 것을 알면서도 잘못을 인정하고 고치도록 왜 그랬느냐고 캐묻는 것과 같다. 하나님께서는 모든 것을 아시면서도, 특별한 목적으로 사람을 하나님의 형상 하나님의 모양대로 손수 지으신 지극히 사랑하시는 피조물이었기 때문에, 아담과 그의 아내가 잘못을 인정하고 회개하도록 기회를 주신 것이다. 한두 번도 아니고 여러 차례나 기회를 주셨지만, 아담과 그의 아내는 끝내 회개하지 않았다. 그들의 변명이 사실이기는 했지만, 자신들의 선택에 대한 책임을 인정하지 않고 계속 변명만 했고, 그 결과는 준엄한 심판이 기다리고 있었다.

"뱀이 나를 꾀므로 내가 먹었나이다."라는 여자의 대답에, 하나님께서는 뱀에게 "네가 모든 육축과 들의 모든 짐승보다 더욱 저주를 받아 배로 다니고 종신토록 흙을 먹을지니라."하고 질문 없이 심판하셨다. 뱀은 사람

이 아니었기 때문이다.

뱀을 향하여 "네가 모든 육축과 들의 모든 짐승보다 더욱 저주를 받아"라고 하신 말씀을 보면, 이 선악과 사건으로 인하여 뱀만 저주를 받은 것이 아니라 다른 모든 육축과 들의 모든 짐승도 어느 정도의 저주인지는 몰라도 함께 저주를 받게 되었다.

부당하게 느껴지지만 한 가지 분명한 사실은, 선악과 사건으로 인해 잘못이 없는 다른 피조물까지 억울한 저주를 받게 됐다. 오늘날도 한 사람의 범죄와 실수가 잘못이 없는 주변 사람들에게 어떤 모양으로라도 크고 작은 피해를 주는 경우가 종종 있다. 그래서 죄 없는 피해자들의 아픔을 생각해서라도 우리는 최선을 다해 죄와 실수를 피해야 한다.

하나님께서는 또한, 뱀을 향하여, "내가 너로 여자와 원수가 되게 하고 너의 후손도 여자의 후손과 원수가 되게 하리니 여자의 후손은 네 머리를 상하게 할 것이요 너는 그의 발꿈치를 상하게 할 것이니라."라고 하셨다.

여기서 '머리를 상하게 할 것이며'의 '머리'는 원어의 '로쉬'로 신체상의 '머리'뿐만 아니라[창 48:14, 신 21:12] '지위나 장소에 있어서 최고 높은 것'[대하 13:12, 애 1:5]까지도 뜻한다. 따라서 뱀의 최고로 높은 신체 부위인 머리를 상하게 된다는 것은, 그가 도저히 회복될 수 없는 치명적인 손상을 입게된다는 뜻이다. 또한, '발꿈치를 상하게 할 것'이라는 말의 '발꿈치'는 원어의 '아케브'인데 '끝 부분'이라는 뜻이다. '신체의 기능 면에서나 지위 면에서 별로 중요하지 않은 것'을 가리키는 말로, 여자의 후손이 발꿈치에 상함을 입게 된다는 것은 그가 비록 해는 당하지만 치명적이지는 못할 것을 의미한다.

하나님께서 뱀을 향하여 이렇게 말씀하실 때 과연 아담과 그 아내 그리고 뱀이 얼마나 이 말씀을 이해했는지 모르지만, 현재 우리들에게는 이해가 그리 쉽지 않다. 그러나 이 말씀은 '아담과의 언약'이라고 하는 전 인류에게 미치는 하나님의 언약으로, 우리가 꼭 이해해야 할 중요한 의미를 내포하고 있다. 이 말씀을 이해하려면 먼저 뱀의 정체를 이해하여야 한다.

뱀의 정체

"여호와 하나님의 지으신 들짐승 중에 뱀이 가장 간교하더라 뱀이 여자에게 물어 가로되 하나님이 참으로 너희더러 동산 모든 나무의 실과를 먹지 말라 하시더냐?"라고 한 것을 보면, 여자를 시험하여 실족게 한 뱀은 분명히 하나님이 지으신 들짐승 곧 물질적인 뱀이다. 그렇다면, "여호와 하나님이 뱀에게 이르시되 네가 이렇게 하였으니 네가 모든 육축과 들의 모든 짐승보다 더욱 저주를 받아 배로 다니고 종신토록 흙을 먹을지니라."고 하신 말씀은 어려움 없이 이해가 된다.

그러나 그다음 "여자의 후손은 네 머리를 상하게 할 것이요 너는 그의 발꿈치를 상하게 할 것이니라."고 하신 말씀은 이해가 잘 안 되는 말씀이다. 왜냐하면, 이 말씀이 이루어지려면 여자를 실족케 한 그 물질적인 뱀이 후에 올 여자의 후손과 동시에 공존해야만 한다. 그렇지 않으면 결코 서로 머리를 상하고 발꿈치를 상하는 일은 있을 수 없기 때문이다. 다시 말해서 만일 하나님의 저주를 받은 뱀이 오직 물질적인 뱀뿐이었다면, 하나님의 말씀이 성취되기 위해서는 여자의 후손은 반드시 아담과 그 아내를 실족케 한 물질적인 뱀이 살아 있는 동안에 나타나야 했다. 그러나 에덴동산의 선악과 사건 이후에 나타나는 사람의 후손을 보면, 모두 아담의 후손이었다. 수천 년이 지난 오늘날까지도 여자의 후손이 아담과 그 아내를 실족케 한 그 뱀의 머리를 상하게 했다는 기록이 없고, 또한, 아담과 하와를 실족게 한 그 물질적인 뱀이 여자의 후손의 발꿈치를 상하게 하지도 않고 죽어 없어지고 말았다. 그러므로 하나님께서 말씀하신 여자의 후손은 분명히 아담의 후손 중에 하나가 아니었고, 또한, 하나님께서 "여자의 후손은 네 머리를 상하게 할 것이요 너는 그의 발꿈치를 상하게 할 것이니라"라고 말씀하신 그 대상도 물질적인 뱀이 아니었음이 분명하다.

그렇다면 하나님께서 뱀을 저주하실 때에 저주의 대상은, 물질적인 뱀만이 아니고 또 다른 존재가 있었다는 것이다. 하나님께서 에덴동산의 선악과 사건에 대한 심판을 선고하시는 당시의 상황은, 물질적인 뱀과 이 물질적인 뱀과 함께 저주를 받은 또 다른 존재와 아담과 그의 아내가 하나님 앞에 심판의 대상으로 섰다. 하나님께서 물질적인 뱀에게는 "네가 이렇게 하였으니 네가 모든 육축과 들의 모든 짐승보다 더욱 저주를 받아 배로 다니고 종신토록 흙을 먹을지니라."하셨고, 또 다른 존재를 향하여는 "내가 너로 여자와 원수가 되게 하고 너의 후손도 여자의 후손과 원수가 되게 하리니 여자의 후손은 네 머리를 상하게 할 것이요 너는 그의 발꿈치를 상하게 할 것이니라."고 하신 것이 분명하다.

그러면 물질적인 뱀과 함께 저주를 받은 또 다른 존재는 과연 무엇이었을까? 왜 그가 뱀과 함께 하나님의 저주를 받았을까? 또한, 여자의 후손은 누구일까?

여자의 후손은 여자가 남자 없이 홀로 잉태하고 출산해야 여자의 후손이라고 할 수 있다. 그러나 인류 역사상 여자가 남자 없이 홀로 아이를 낳아서 여자의 후손이 될 만한 사람은 이 세상에 아무도 없었다. 그러므로 여자의 후손은 보통 사람이 아닌 것이 분명하다. 이 여자의 후손은 먼 훗날 동정녀 마리아에게 성령으로 잉태하여, 육신의 몸을 입고 이 땅에 오실 하나님의 아들 예수 그리스도를 가리켜 말씀하신 것이다. 그래서 성경은 이렇게 말씀하셨다.

[마 1:23] 보라 처녀가 잉태하여 아들을 낳을 것이요 그 이름은 임마누엘이라 하리라 하셨으니 이를 번역한즉 하나님이 우리와 함께 계시다 함이라

또한, 예수님이 여자의 후손이라면 그의 발꿈치를 상하게 한 사건은 무엇이었을까? 발꿈치를 상하게 한다는 뜻은 '해를 주되 치명적인 해가 못 된다.'는 뜻인 것은 이미 살펴보았다. 그러므로 예수님의 발꿈치를 상하게 하는 사건은 예수님을 해하는 사건인데, 이 사건은 곧 십자가 사건이 분명하다. 예수님께서 해 받으신 고난은 십자가 고난 이외에 다른 고난이 없었

기 때문이다. 또한, 예수님은 십자가에서 해를 받으시고 죽임을 당하시고 장사 지낸 바 되었지만, 3일 만에 죽음의 권세를 이기시고 죽은 자 가운데서 부활 승천하심으로 십자가 고난을 완전히 극복하셨다. 그뿐만 아니라 이를 통하여 하늘과 땅의 모든 권세를 받으시고 하나님의 보좌 우편, 즉 권능의 우편에 앉게 되셨다. 그러므로 예수님의 발꿈치를 상하게 하는 사건은 십자가 사건을 의미하신 것이 확실하다.

그러면 예수님의 발꿈치를 상하게 한 자, 즉 예수님을 십자가에 못 박아 죽게 한 자는 과연 누구였을까? 이는 사단이었음을 성경이 밝히 말씀해 주고 있다.

> [눅 22:1-6] 유월절이라 하는 무교절이 가까우매, 대제사장들과 서기관들이 예수를 무슨 방책으로 죽일꼬 연구하니 이는 저희가 백성을 두려워함이더라, 열 둘 중에 하나인 가룟인이라 부르는 유다에게 사단이 들어가니, 이에 유다가 대제사장들과 군관들에게 가서 예수를 넘겨 줄 방책을 의논하매, 저희가 기뻐하여 돈을 주기로 언약하는지라, 유다가 허락하고 예수를 무리가 없을 때에 넘겨 줄 기회를 찾더라

이 말씀에 의하면 사단이 예수님의 제자 중에 하나였던 가룟 유다에게 들어가, 그를 통하여 예수님을 대제사장들에게 넘겨 재판하게 하고 사형 선고를 내려, 로마 병정들에 의하여 십자가에서 가시관을 쓰고 양손 양발에 못이 박히고 창에 찔려 물과 피를 쏟으며 죽게 했다. 겉으로 보기에는 사람들이 하는 것으로 보였지만, 실제로 그들을 통하여 역사하는 자는 사단이었다. 이 말씀을 보면 사단은 영물로서 사람에게 들어가 사람을 사단의 도구로 사용하는 능력이 있음을 알 수 있다. 그러므로 여자의 후손인 예수님의 발꿈치를 상하게 한 자는 사단이었던 것이 확실하다. 그렇다면 여자의 후손인 예수님께서 머리를 상하게 한 자는 누구였을까? 이도 역시 사단이었음을 성경은 분명하게 밝히고 있다.

> [마 12:22-32] 그 때에 귀신들려 눈 멀고 벙어리 된 자를 데리고 왔거늘 예수께서 고쳐 주시매 그 벙어리가 말하며 보게 된지라, 무리가 다 놀라 가로되 이는 다윗의 자손이 아니냐 하니, 바리새인들은 듣고 가로되 이가 귀신의 왕 바알세불을 힘입지 않고는 귀신을 쫓아내지 못하느니라 하거늘, 예수께서 저희생각을 아시고 가라사대 스스로 분쟁하는 나라마다 황폐하여질 것이요 스스로 분쟁하는 동네나 집마다 서지 못하리라, 사단이 만일 사단을 쫓아내면 스스로 분쟁하는 것이니 그리하고야 저의 나라가 어떻게 서겠느냐, 또 내가 바알세불을 힘입어 귀신을 쫓아내면 너희 아들들은 누구를 힘입어 쫓아내느냐 그러므로 저희가 너희 재판관이 되리라, 그러나 내가 하나님의 성령을 힘입어 귀신을 쫓아내는 것이면 하나님의 나라가 이미 너희에게 임하였느니라, 사람이 먼저 강한 자를 결박하지 않고야 어떻게 그 강한 자의 집에 들어가 그 세간을 늑탈하겠느냐 결박한 후에야 그 집을 늑탈하리라

여기서 귀신의 왕 바알세불은 그 당시 유대인들이 사단을 의미하는 말인데, 이 말씀으로 예수님께서 사단을 결박하셨다는 사실을 분명하게 선포하셨다.

> [눅 10:17-18] 칠십 인이 기뻐 돌아와 가로되 주여 주의 이름으로 귀신들도 우리에게 항복하더이다, 예수께서 이르시되 사단이 하늘로서 번개같이 떨어지는 것을 내가 보았노라

> [계 20:10] 또 저희를 미혹하는 마귀가 불과 유황 못에 던지우니 거기는 그 짐승과 거짓 선지자도 있어 세세토록 밤낮 괴로움을 받으리라

위의 두 성경 말씀은 사단이 머리가 상하듯 도저히 회복할 수 없는 치명적인 손상을 입게 되어 하늘에서 번개같이 떨어졌고, 또 앞으로 영원히 불과 유황 못인 지옥에 던져져 종결될 것을 말씀하신다. 뿐만 아니라 예수님께서 부활하심으로 사단의 가장 강한 권세인 사망 권세마저도, 예수님

에 의하여 깨어지고 정복을 당했다. 이로써 여자의 후손인 예수님께 머리가 상한 자는 바로 사단이었음이 분명한 것이다.

그러므로 에덴동산에서 물질적인 뱀과 함께 "내가 너로 여자와 원수가 되게 하고 너의 후손도 여자의 후손과 원수가 되게 하리니 여자의 후손은 네 머리를 상하게 할 것이요 너는 그의 발꿈치를 상하게 할 것이니라."고 하신 하나님의 저주를 받은 또 다른 존재는 바로 영물인 사단이었다는 것이 너무나 확실하다. 사단이 하나님의 저주를 받게 된 이유는, 여자를 유혹한 것은 물질적인 뱀이었지만 사실 그 주범은 사단이었기 때문이다. 마치 사단이 가룟 유다에게 들어가서 예수님을 대제사장들에게 팔아넘겨 십자가에 죽게 했듯이, 사단이 물질적인 뱀에게 들어가 뱀으로 하여금 여자를 유혹하게 하고 실족하게 했던 것이다.

그러므로 예수님께서 요한복음 8장 44절 이하에 사단을 가리켜 "저는 처음부터 살인한 자요 진리가 그 속에 없으므로 진리에 서지 못하고 거짓을 말할 때마다 제 것으로 말하나니 이는 저가 거짓말쟁이요 거짓의 아비가 되었음이니라."고 하셨다. 또한, 성경은 요한계시록 12장 9절에 "큰 용이 내어 쫓기니 옛 뱀 곧 마귀라고도 하고 사단이라고도 하는 온 천하를 꾀는 자라 땅으로 내어 쫓기니 그의 사자들도 저와 함께 내어 쫓기니라."라고 사단을 옛 뱀이라고 했다.

그러므로 사단은 하나님의 최상의 피조물인 사람으로 하여금 그의 창조주이신 좋으시고 선하신 하나님을 거짓되고 이기적인 하나님으로 의심하게 하여, 그 말씀을 불순종하고 선악과를 따먹고 죽도록 만든 장본이 되는 영물이었다. 그래서 하나님은 그를 가차 없이 멸망으로 심판하신 것이다. 그러므로 "내가 너로 여자와 원수가 되게 하고 너의 후손도 여자의 후손과 원수가 되게 하리니 여자의 후손은 네 머리를 상하게 할 것이요 너는 그의 발꿈치를 상하게 할 것이니라."고 하신 하나님의 심판은 뱀과 사단에게는 큰 절망의 심판이었고, 뱀의 감언이설에 유혹을 받고 실족한 아담과 그의 아내에게는 그들의 억울함을 풀어 줄 하나님의 약속으로 불행 중에도 큰 위로가 되는 심판이었다. 또한, 아담과 하와의 구원뿐만 아니라 그들의 후손, 즉 온 인류의 구원을 위한 소망이 되는 하나님의 언약이었다. 그러면 과연 사단의 정체는 무엇일까?

사단의 정체

[겔 28:11-19] 여호와의 말씀이 또 내게 임하여 가라사대, 인자야 두로 왕을 위하여 애가를 지어 그에게 이르기를 주 여호와의 말씀에 너는 완전한 인이었고 지혜가 충족하며 온전히 아름다웠도다, 네가 옛적에 하나님의 동산 에덴에 있어서 각종 보석 곧 홍보석과 황보석과 금강석과 황옥과 홍마노와 창옥과 청보석과 남보석과 홍옥과 황금으로 단장하였음이여 네가 지음을 받던 날에 너를 위하여 소고와 비파가 예비되었었도다, 너는 기름 부음을 받은 덮는 그룹임이여 내가 너를 세우매 네가 하나님의 성산에 있어서 화광석 사이에 왕래하였었도다, 네가 지음을 받던 날로부터 네 모든 길에 완전하더니 마침내 불의가 드러났도다, 네 무역이 풍성하므로 네 가운데 강포가 가득하여 네가 범죄하였도다 너 덮는 그룹아 그러므로 내가 너를 더럽게 여겨 하나님의 산에서 쫓아 내었고 화광석 사이에서 멸하였도다, 네가 아름다우므로 마음이 교만하였으며 네가 영화로우므로 네 지혜를 더럽혔음이여 내가 너를 땅에 던져 열왕 앞에 두어 그들의 구경거리가 되게 하였도다, 네가 죄악이 많고 무역이 불의하므로 네 모든 성소를 더럽혔음이여 내가 네 가운데서 불을 내어 너를 사르게 하고 너를 목도하는 모든 자 앞에서 너로 땅 위에 재가 되게 하였도다, 만민 중에 너를 아는 자가 너로 인하여 다 놀랄 것임이여 네가 경계거리가 되고 네가 영원히 다시 있지 못하리로다 하셨다 하라

[사 14:12-20] 너 아침의 아들 계명성이여 어찌 그리 하늘에서 떨어졌으며 너 열국을 엎은 자여 어찌 그리 땅에 찍혔는고, 네가 네 마음에 이르기를 내가 하늘에 올라 하나님의 뭇별 위에 나의 보좌를 높이리라 내가 북극

집회의 산 위에 좌정하리라, 가장 높은 구름에 올라 지극히 높은 자와 비기리라 하도다, 그러나 이제 네가 음부 곧 구덩이의 맨 밑에 빠치우리로다, 너를 보는 자가 주목하여 너를 자세히 살펴 보며 말하기를 이 사람이 땅을 진동시키며 열국을 경동시키며, 세계를 황무케 하며 성읍을 파괴하며 사로잡힌 자를 그 집으로 놓아 보내지 않던 자가 아니뇨 하리로다, 열방의 왕들은 모두 각각 자기 집에서 영광 중에 자건마는, 오직 너는 자기 무덤에서 내어 쫓겼으니 가증한 나뭇가지 같고 칼에 찔려 돌구덩이에 빠진 주검에 둘려싸였으니 밟힌 시체와 같도다, 네가 자기 땅을 망케 하였고 자기 백성을 죽였으므로 그들과 일반으로 안장함을 얻지 못하나니 악을 행하는 자의 후손은 영영히 이름이 나지 못하리로다 할지니라

위의 두 성경 구절에서 '두로 왕'과 '아침의 아들 계명성'은 사단을 의미한다고 성서학자들은 일반적으로 믿고 있다. 이 말씀에 의하면, 사단은 하나님께서 지으신 높은 지위에 있었던 천사였으나, 하나님께 범죄하여 천국에서 쫓겨나 이 세상에서 지속적으로 악을 행하는 영물이라고 할 수 있다. 아래의 성경 말씀이 이를 더욱 확실하게 한다.

[골 1:16-17] 만물이 그에게 창조되되 하늘과 땅에서 보이는 것들과 보이지 않는 것들과 혹은 보좌들이나 주관들이나 정사들이나 권세들이나 만물이 다 그로 말미암고 그를 위하여 창조되었고, 또한 그가 만물보다 먼저 계시고 만물이 그 안에 함께 섰느니라.
주: 보좌, 주관자들, 정사, 권세는 천사들의 명칭임

[벧후 2:4] 하나님이 범죄한 천사들을 용서치 아니하시고 지옥에 던져 어두운 구덩이에 두어 심판 때까지 지키게 하셨으며

[유 1:6] 또 자기 지위를 지키지 아니하고 자기 처소를 떠난 천사들을 큰 날의 심판까지 영원한 결박으로 흑암에 가두셨으며

하나님을 불신한 결과

아담과 그의 아내 하와는 비록 뱀의 유혹을 받기는 했지만, 자신들의 자유의지를 오용하여 하나님을 불신하고 선악과를 따먹은 결과는 돌이킬 수 없었다. 그 결과에 대한 하나님의 심판 또한, 준엄했다. 에덴동산의 선악과 사건은 한 번 행동으로 옮긴 것은 행동하기 전의 상태로 돌이킬 수 없으며, 사단에게 쓰임을 받거나 그 말을 듣고 따라가면 그 결과는 멸망이라는 심오한 교훈을 분명하게 보여주고 있다. 우리는 있는 힘을 다해 사단을 대적하고 멀리해야 할 것이다.

> [창 3:16-19] 또 여자에게 이르시되 내가 네게 잉태하는 고통을 크게 더하리니 네가 수고하고 자식을 낳을 것이며 너는 남편을 사모하고 남편은 너를 다스릴 것이니라 하시고, 아담에게 이르시되 네가 네 아내의 말을 듣고 내가 너더러 먹지 말라 한 나무 실과를 먹었은즉 땅은 너로 인하여 저주를 받고 너는 종신토록 수고하여야 그 소산을 먹으리라, 땅이 네게 가시덤불과 엉겅퀴를 낼 것이라 너의 먹을 것은 밭의 채소인즉, 네가 얼굴에 땀이 흘러야 식물을 먹고 필경은 흙으로 돌아가리니 그 속에서 네가 취함을 입었음이라 너는 흙이니 흙으로 돌아갈 것이니라 하시니라

> [창 3:20-24] 아담이 그 아내를 하와라 이름하였으니 그는 모든 산 자의 어미가 됨이더라, 여호와 하나님이 아담과 그 아내를 위하여 가죽옷을 지어 입히시니라, 여호와 하나님이 가라사대 보라 이 사람이 선악을 아는 일에 우리 중 하나 같이 되었으니 그가 그 손을 들어 생명나무 실과도 따먹고 영생할까 하노라 하시고, 여호와 하나님이 에덴동산에서 그 사람을 내어 보내어 그의 근본된 토지를 갈게 하시니라, 이같이 하나님이 그 사람을 쫓아내시고 에덴동산 동편에 그룹들과 두루 도는 화염검을 두어 생명나무의 길을 지키게 하시니라

아담과 그의 아내가 선악과를 따 먹은 결과는 그들과 그들의 후손들에게 참으로 심각한 피해를 가져왔다.

자녀를 생산할 때마다 큰 고통이 더해질 것이며, 뼈 중에 뼈요 살 중에 살처럼 남편의 사랑을 받던 여자가 이제는 남편의 다스림을 받게 될 것이라고 하셨다. 이것은 사랑으로 맺어진 남편과 아내가 주종의 관계로 바뀐 불행 중의 불행이었다.

아담이 받은 피해 역시 막심했다. 땅은 아담의 실수로 인하여 저주를 받아 가시덤불과 엉겅퀴를 내고, 아담은 종신토록 얼굴에 땀을 흘리며 수고해야 먹고 살 것이며 마지막에는 흙으로 돌아갈 것이라고 하셨다. 또한, "여호와 하나님이 가라사대 보라 이 사람이 선악을 아는 일에 우리 중 하나 같이 되었으니 그가 그 손을 들어 생명나무 실과도 따먹고 영생할까 하노라 하시고 여호와 하나님이 에덴동산에서 그 사람을 내어 보내어 그의 근본 된 토지를 갈게 하시니라."고 기록된 대로 복된 에덴동산에서 쫓겨났으니 얼마나 심각한 피해였나!

하지만 가장 심각한 피해는 하나님의 절대적인 선악의 기준을 버리고, 각각 자기 소견에 좋은 대로 서로 다른 선악의 기준을 가지고 선악을 스스로 판단하고 행할 수 있는 능력이 생긴 것이다. 절대적인 선악의 기준이 없어지고 그 기준도 사람마다 다르며 끊임없이 변하게 되어, 가장 가까워야 할 남편과 아내나 부모와 자녀 간에도 수시로 변하는 서로 다른 선악의 기준으로 인하여 괴로움과 불화가 끊이지 않게 되었다. 오늘의 선이 내일의 악으로, 오늘의 악이 내일의 선으로 바뀔 수도 있고, 오늘의 충신이 내일의 역적이 되고 오늘의 역적이 내일의 영웅이 될 수도 있다. 이것이 인류역사를 점철하고 있는 현실이며 이런 것들이 사람을 불행하게 만든다.

뿐만 아니라 참된 선악을 온전히 분별할 수 있는 능력이 없는 사람이, 모든 일에 선악을 분별하여 선을 행하고 악을 멀리해야 하는 큰 부담도 생겼다. 자신은 선으로 알고 열심히 했는데 나중에 보니 그것이 악이었고, 악으로 알고 있는 힘을 다하여 피했는데 나중에 보니 그것이 선이었을 때 얼마나 후회스러운가? 이런 경우가 비일비재한 것은 사람에게 참된 선악을 분별할 수 있는 능력이 없기 때문이다.

그러므로 제한된 능력과 불완전한 자질을 가진 사람이 선악을 스스로 판단하고 행할 수 있게 된 것은, 사람이 사단에 의하여 행복을 도적질 당하고 불행을 선물로 받은 것이다. 그래서 예수님은 사단을 가리켜 "도적이 오는 것은 도적질하고 죽이고 멸망시키려는 것뿐이요."[요 10:10]라고 말씀하신 것이다.

아담과 하와가 사단의 쓰임을 받은 뱀에게 사기를 당한 것이다. 땅을 치고 통곡을 해도 시원치 않을 실수를 범한 것이었다.

처음부터 하나님의 말할 수 없는 큰 축복을 받고 태어난 아담과 하와는, 하나님을 불신하고 선악과를 먹음으로 그들의 비물질 부분인 영혼이 변질되어 인격적으로 저속한 사람들이 되었고 그들의 물질 부분인 몸도 변화되어 흙으로 돌아가게 되었다. 그들의 경작지도 가시덤불과 엉겅퀴를 내는 척박한 땅으로 변했으며, 아름다웠던 에덴동산에서 쫓겨나 근본 된 토지를 갈아야 먹고 살게 되었다. 그 후 아담의 삶에 대하여 성경은 아래와 같이 씁쓸한 기록을 남겨 놓았다.

[창 5:3-5] 아담이 일백 삼십세에 자기 모양 곧 자기 형상과 같은 아들을 낳아 이름을 셋이라 하였고, 아담이 셋을 낳은 후 팔백년을 지내며 자녀를 낳았으며, 그가 구백 삼십세를 향수하고 죽었더라

아담은 구백 삼십세를 살다가 죽었다고 기록하고 있다. 아담과 아담 자손들의 나이와 세대에 대하여 많은 질문을 할 수 있으나 중요한 것은 아담과 그 후손들이 모두 죽었고 지금도 죽고 있다는 사실이다. 여기서 죽었다는 말은, 결국 몸이 기능을 멈추고 몸을 이루었던 모든 구성 원소들이 분해되어 흙으로 돌아간 결과를 말한다.

그러나 하나님께서 아담에게 말씀하신 죽음은, 단순히 흙으로 만들어진 몸이 원래의 흙으로 돌아간 결과만을 의미하신 것이 아니었다. 하나님께서는 아담에게 "선악을 알게 하는 나무의 실과는 먹지 말라 네가 먹는 날에는 정녕

죽으리라."[창 2: 17]고 하셨다. 여기서 '먹는 날에는' 원어로 '먹는 바로 그 날 안에'라는 의미인 것은 이미 설명했다. 그러나 아담과 하와가 선악과를 먹었을 때 바로 그날 안에 그들의 몸이 죽어 분해되어 흙으로 돌아간 것은 아니었다. 그러므로 하나님께서 아담에게 말씀하신 '죽음'은 아담이 '구백삼십 세를 향수하고 죽었더라.'는 죽음의 의미와는 다른 의미였음이 분명하다.

그러면 하나님께서 말씀하신 죽음은 과연 무엇을 의미하는 것이었을까? 그것은 아담과 하와가 선악과를 따먹은 그날부터 몸이 흙으로 돌아갈 때까지 일어나는 모든 현상과 그 후에도 계속되는 모든 과정이 바로 하나님께서 의미하신 죽음인 것이 분명하다. 아담과 하와가 선악과를 먹는 그날부터 그들의 영혼에 변화가 생겨, 하나님의 선악의 기준을 버리고 자기의 선악의 기준을 따라 살아가는 사람이 되어, 하나님으로부터 분리된 독립적인 삶, 즉 자기가 자기의 주인이 되어 자기 마음대로 살게 된 것부터가 하나님께서 말씀하신 아담과 그 아내 죽음의 시작이었다. 그리고 결국은 몸과 영혼이 분리되어 몸은 흙으로, 영혼은 영계로 돌아가게 된 이 모든 과정이 하나님께서 의미하신 죽음이었다. 그러므로 사람의 죽음은 하나의 과정이며, 하나님으로부터 영혼의 교제가 끊어지고 독립된 삶을 사는 순간부터 시작된 것이다.

아담과 하와의 후손으로 태어난 모든 사람은, 잉태되는 순간부터 아담과 하와의 물질 부분과 비물질 부분을 그대로 이어받아 이 세상에 태어난다. 재창조되는 것이다. 그러므로 하나님의 관점에서 보면 사람은 잉태되는 순간부터 사망의 그늘 아래에 있는 것이다. 인류의 조상 아담과 하와의 실수로 인한 에덴동산의 선악과 사건은 온 인류에게 사망을 가져온 참으로 크고 처참한 비극이었다.

이렇게 하나님을 떠난 아담과 하와의 후손들은 더 나아가 서로 살인을 두려워하지 않는 악한 자들이 되었고, 사람의 악함은 계속되어 하나님의 홍수심판까지 이르게 됐다.

[창 4:8-9] 가인이 그 아우 아벨에게 고하니라 그 후 그들이 들에 있을 때에 가인이 그 아우 아벨을 쳐 죽이니라, 여호와께서 가인에게 이르시되 네 아우 아벨이 어디 있느냐 그가 가로되 내가 알지 못하나이다 내가 내 아우를 지키는 자니이까

[창 4:23-24] 라멕이 아내들에게 이르되 아다와 씰라여 내 소리를 들으라 라멕의 아내들이여 내 말을 들으라 나의 창상을 인하여 내가 사람을 죽였고 나의 상함을 인하여 소년을 죽였도다, 가인을 위하여는 벌이 칠배일진대 라멕을 위하여는 벌이 칠십 칠배이리로다 하였더라

[창 6:5-8] 여호와께서 사람의 죄악이 세상에 관영함과 그 마음의 생각의 모든 계획이 항상 악할 뿐임을 보시고, 땅 위에 사람 지으셨음을 한탄하사 마음에 근심하시고, 가라사대 나의 창조한 사람을 내가 지면에서 쓸어버리되 사람으로부터 육축과 기는 것과 공중의 새까지 그리하리니 이는 내가 그것을 지었음을 한탄함이니라 하시니라(홍수 심판을 의미하심)

지금까지 우리는 여러 질문에 답하며 여기까지 왔다. 하지만 사실은 우리가 상고한 내용에 대하여 언급하지 않은 더 많은 심각한 질문들이 있다.

◆하나님은 도대체 왜 천지만물과 사람을 지으셨을까?
◆전지전능하신 하나님께서 선악과 사건이 일어날 것을 미리 다 아셨을 터인데, 그럼에도 불구하고 왜 사람에게 자유의지를 주시고 또 선악과도 만드셨을까?
◆하나님께서 원하셨다면 선악과 사건을 막을 수도 있었는데 왜 막지 않으셨나? 어떻게 선하시고 의로우신 하나님께서 아담이 실수할 것을 아시고도, 실수할 수 있는 환경을 만드시고 또 실수할 때에도 막지 않으시고 방관하실 수 있으신가? 이는 의도적이었고 하나님의 선하신 성품에 위배되는 것이 아닌가? 또한, 사단이 하나님을 대적하다 심판을 받고 쫓겨난 높은 지위에 있었던 천사라면, 그리고 모든 천사가 하나님의 피조

물이라면, 전지전능하신 하나님께서 이 모든 것을 미리 다 아셨음에도 불구하고 왜 그 타락할 천사를 지으셨을까? 그리고 왜 하와를 유혹하여 아담과 하와가 하나님께서 금하신 선악과를 먹도록 했을까? 이 질문들에 대한 납득이 가는 답변을 찾아야 한다. 그렇지 않으면 우리는 에덴동산의 선악과 사건의 결과는 보아도 진상은 도저히 이해할 수 없을 것이다. 그러나 이와 같은 질문들에 대하여 납득이 될 만한 답변을 얻으려면 좀 더 깊고 광범위한 성경의 계시를 살펴보아야 한다. 그래서 앞으로 좀 더 성경을 살펴본 후에 4장에서 그 답변을 찾아보기로 하고, 지금은 변질된 사람과 세상이 그 후에 어떻게 되었는가에 대하여 성경 말씀을 계속 살펴보기로 하겠다.

6. 사람의 현실

선악과 사건 이후 오랜 세월이 지나 이 세상에 아담의 후손들이 생육하고 번성하여 충만해졌을 때, 지금으로부터 이천 년 전 바울 사도가 생존했던 당시 세상 사람들의 상태에 대하여 바울 사도는 아래와 같이 기록했다.

하나님의 영광을 썩어질 우상으로 바꾼 사람들

[롬 1:20-23] 창세로부터 그의 보이지 아니하는 것들 곧 그의 영원하신 능력과 신성이 그 만드신 만물에 분명히 보여 알게 되나니 그러므로 저희가 핑계치 못할지니라, 하나님을 알되 하나님으로 영화롭게도 아니하며 감사치도 아니하고 오히려 그 생각이 허망하여지며 미련한 마음이 어두워졌나니, 스스로 지혜 있다 하나 우준하게 되어, 썩어지지 아니하는 하나님의 영광을 썩어질 사람과 금수와 버러지 형상의 우상으로 바꾸었느니라

하나님을 떠난 아담과 하와의 후손들은, 하나님을 알기는 알아도 하나님께 영광과 존귀를 돌려 드리고 감사하기를 거부했다. 오히려 이상한 사

람 모양의 괴물이나, 짐승이나, 버러지 형상의 우상을 만들어 섬기고 절하며 복을 비는 어리석은 사람들이 되었다.

하나님은 사람들이 우상을 섬기고 하나님을 멸시하고 천대하자, 그들을 마음의 정욕대로 더러움에, 부끄러운 욕심에, 상실한 마음대로 내버려 두셨다고 했다.

마음의 정욕대로 더러움에 내어 버림받은 사람들

> [롬 1:24-25] 그러므로 하나님께서 저희를 마음의 정욕대로 더러움에 내어 버려두사 저희 몸을 서로 욕되게 하셨으니, 이는 저희가 하나님의 진리를 거짓 것으로 바꾸어 피조물을 조물주보다 더 경배하고 섬김이라 주는 곧 영원히 찬송할 이시로다 아멘

여기서 '내어 버려두사'는 탕자의 비유[눅 15:11-32]에서 탕자가 아버지를 떠나 먼 나라로 갈 때, 훗날 다시 돌아올 것을 믿고 바라며 아버지가 아들을 떠나가도록 허락한 것처럼, 사람들이 우상을 섬기며 하나님을 멸시 천대하는 것을 보시고 참고 견디시며 훗날의 구원을 위하여 그대로 내버려 두셨다는 말이다. 이것은 사람을 향한 관심과 사랑과 구원의 계획을 포기하셨다는 말이 아니다. 또한, 원어에 의하면 '저희 몸을 서로 욕되게 하셨으니'라는 말은, 내어 버림을 받은 결과를 의미하지 일부러 욕되게 하셨다는 말이 아니다.

부끄러운 욕심에 내어 버림받은 사람들

> [롬 1:26-27] 이를 인하여 하나님께서 저희를 부끄러운 욕심에 내어 버려두셨으니 곧 저희 여인들도 순리대로 쓸 것을 바꾸어 역리로 쓰며, 이와 같이 남자들도 순리대로 여인 쓰기를 버리고 서로 향하여 음욕이 불 일 듯하매 남자가 남자로 더불어 부끄러운 일을 행하여 저희의 그릇됨에 상당한 보응을 그 자신에 받았느니라

상실한 마음대로 내어 버림받은 사람들

[롬 1:28-32] 또한 저희가 마음에 하나님 두기를 싫어하매 하나님께서 저희를 그 상실한 마음대로 내어 버려 두사 합당치 못한 일을 하게 하셨으니, 곧 모든 불의, 추악, 탐욕, 악의가 가득한 자요 시기, 살인, 분쟁, 사기, 악독이 가득한 자요 수군수군하는 자요, 비방하는 자요 하나님의 미워하시는 자요 능욕하는 자요 교만한 자요 자랑하는 자요 악을 도모하는 자요 부모를 거역하는 자요, 우매한 자요 배약하는 자요 무정한 자요 무자비한 자라, 저희가 이같은 일을 행하는 자는 사형에 해당하다고 하나님의 정하심을 알고도 자기들만 행할 뿐 아니라 또한 그 일을 행하는 자를 옳다 하느니라

바울 사도 당시 사람들의 삶의 본질은 오늘날 우리들의 삶과 본질적으로 다를 바가 조금도 없다. 이것은 아담과 하와의 변질된 이후의 삶과 본질적으로 똑같은 삶으로, 이같은 상태는 앞으로도 사람이 이 세상에 존속하는 동안에는 계속될 것이다. 온 인류의 변질된 영혼과 몸이 동시에 완전히 고침을 받고, 하나님께서 정하신 선악의 기준을 따라 살아갈 수 있는 능력을 주는 어떤 특별한 이변이 생기지 않는 한 이 변질된 성품은 절대로 달라지지 않을 것이다. 오히려 그 열매들은 더욱 극악해질 것이다. 지금 온 지구를 불로 멸망시키고도 남을 만한 만여 개가 넘는 핵폭탄과 무시무시한 살생 무기들을 만들어 그 심지에 불붙일 준비를 다 해놓고도, 두려워할 줄 모르고 회개하지도 않으며 서로 시기하고, 질투하고, 미워하고, 죽이고 싶어 하는 현재의 악함보다 앞으로 날이 가면 갈수록 더욱더 악해질 것이다.

이렇게 날이 갈수록 더욱 악해지는 사람들이 행하는 이 '합당치 못한 일'들은 무엇이며 그 결과는 무엇일까? 이것은 분명히 죄이며 그 결과는 사망이다.

7. 죄와 사망

죄 아래 있는 사람들

> [롬 3:9] 그러면 어떠하뇨 우리는 나으뇨 결코 아니라 유대인이나 헬라인
> 이나 다 죄 아래 있다고 우리가 이미 선언하였느니라

이 성경 구절에서 '죄'란 원어의 '하말티아'로 '과녁이나 목적에서 빗나감'이
라는 뜻이다. 사람이 죄를 짓는다는 뜻은 하나님께서 사람을 지으신 원래의
목적에서 빗나간 일, 즉 해서는 안 되는 일, 곧 '합당치 못한 일'을 행한다는 뜻
이다. 그러므로 아담과 하와의 후손들은 모두 죄 아래 있는 자가 된 것이다.

아담의 죄 탓에 모든 사람에게 임한 사망

> [롬 5:14] 그러나 아담으로부터 모세까지 아담의 범죄와 같은 죄를 짓지
> 아니한 자들 위에도 사망이 왕 노릇 하였나니

위의 '아담의 범죄'에서 '범죄'는 원어의 '파라바시스'로 '한계를 넘는다.'
는 뜻이다. 따라서 '범죄 한다.'는 말은 '법이 정해 놓은 한계를 넘는다.'는
말이다. 그러므로 '하말티아'와 '파라바시스'의 의미를 종합해 보면, 하나
님이 사람을 지으신 원래의 목적에서 벗어나 하나님께서 정하신 법의 한
계를 넘어, 인생을 자기 마음대로 자기 소견에 좋은 대로 선악을 판단하고
행하며 사는 것 자체가 죄다. 사람이 하나님을 떠나 하나님 없이 사는 것
도 죄다. 또한, 그러한 삶으로 인하여 생기는 그 모든 결과도 역시 죄다.
아담의 범죄는 하나님께서 '선악과는 먹지 말라.'고 정해 놓으신 법을 범한
것이다. 이것이 아담과 하와의 범죄였고 이 때문에 사망이 임하게 된 것이
다. 또한, 변질된 아담과 하와의 후손들도 모두 아담과 똑같은 상태로 태

어나기 때문에 선악과를 먹는 죄는 범하지 않았지만, 아담과 하와에게 임한 사망의 저주가 그들에게도 임하게 되었다는 말씀이다. 그래서 바울 사도는 "이러므로 한 사람으로 말미암아 죄가 세상에 들어오고 죄로 말미암아 사망이 왔나니 이와 같이 모든 사람이 죄를 지었으므로 사망이 모든 사람에게 이르렀느니라."[롬 5:12]고 했다.

사망 곧 죽음은 비물질 부분인 영혼이 변질됨으로써 시작된 하나의 과정으로, 몸과 영혼이 분리되어 몸이 흙으로 돌아가게 된 것은 이미 살펴본 바와 같다. 그러면 영혼은 어떻게 되는 것일까? 예수님께서는 사람의 몸이 죽은 후에 그 영혼이 어떻게 되는가에 대하여 비유로 이렇게 설명해 주셨다.

> [눅 16:19-24] 한 부자가 있어 자색 옷과 고운 베옷을 입고 날마다 호화로이 연락하는데, 나사로라 이름한 한 거지가 헌데를 앓으며 그 부자의 대문에 누워, 부자의 상에서 떨어지는 것으로 배불리려 하매 심지어 개들이 와서 그 헌데를 핥더라, 이에 그 거지가 죽어 천사들에게 받들려 아브라함의 품에 들어가고 부자도 죽어 장사되매, 저가 음부에서 고통 중에 눈을 들어 멀리 아브라함과 그의 품에 있는 나사로를 보고, 불러 가로되 아버지 아브라함이여 나를 긍휼히 여기사 나사로를 보내어 그 손가락 끝에 물을 찍어 내 혀를 서늘하게 하소서 내가 이 불꽃 가운데서 고민하나이다

이 말씀이 우리에게 교훈하시는 바가 많지만 한 가지 분명한 것은, 몸과 분리된 영혼이 없어지지 않고 계속해서 존재한다는 사실이다. 사실 사람의 물질 부분인 몸도 죽으면 형체로는 존재하지 않지만, 썩고 분해되어 사람의 몸을 이루기 전의 형태인 원소로 돌아가 계속 존재한다. 죽음은 없어지는 것이 아니라 구성 요소가 각각 그 원래의 상태대로 분해되는 것이다.

예수님께서 아브라함의 품과 불꽃 튀는 고민스러운 음부가 어떤 곳인지 자세히 설명하시지는 않았지만, 그곳은 사람의 영혼이 가는 곳이 분명하다. 또한, 영혼이 가는 곳에 대하여 예수님은 다음과 같이 말씀하셨다.

> [눅 23:42-43] 가로되 예수여 당신의 나라에 임하실 때에 나를 생각하소서 하니, 예수께서 이르시되 내가 진실로 네게 이르노니 오늘 네가 나와 함께 낙원에 있으리라 하시니라

이 말씀은 예수님께서 십자가에서 운명하시기 직전에, 함께 십자가에서 처형된 강도 두 사람 중의 한 사람에게 직접 하신 말씀이다. 이 말씀에 의하면 회개하고 예수님께 자비와 구원을 청한 강도는 그날 예수님과 함께 '낙원'이라는 곳으로 갔다. 그러니 낙원 역시 영혼이 가는 곳이다. 그러므로 나사로가 죽은 후에 간 아브라함 품과 예수님께서 말씀하신 '낙원'이 같은 곳임이 분명하다. '낙원'에 대하여 바울 사도는 이렇게 말씀하셨다.

> [고후 12:1-4] 무익하나마 내가 부득불 자랑하노니 주의 환상과 계시를 말하리라, 내가 그리스도 안에 있는 한 사람을 아노니 십사 년 전에 그가 셋째 하늘에 이끌려 간 자라 (그가 몸 안에 있었는지 몸 밖에 있었는지 나는 모르거니와 하나님은 아시느니라), 내가 이런 사람을 아노니 (그가 몸 안에 있었는지 몸 밖에 있었는지 나는 모르거니와 하나님은 아시느니라), 그가 낙원으로 이끌려 가서 말할 수 없는 말을 들었으니 사람이 가히 이르지 못할 말이로다

여기서 바울 사도는 셋째 하늘을 '낙원'이라고 했다. 당시에 첫째 하늘은 새들이 날아다니고 비가 오고 구름이 떠도는 대기층을 의미했고, 둘째 하늘은 해와 달과 별이 운행하는 우주를, 셋째 하늘은 하나님이 계시는 영계를 의미했다. 그러므로 '낙원'은 하나님께서 계시는 영계로서 회개한 강도가 죽은 후에 예수님과 함께 간 곳이다. 그러므로 예수님께서 당시 유대인들의 신앙문화에 맞추어서 아브라함의 품이라고 하셨던 곳이 바로 이 영계인 낙원인 것이 분명하다.

이 계시에 의하면 사람들이 죽은 후에 몸과 분리된 영혼이 가는 영계의

한 곳은 아브라함 품으로 표현된 '낙원'이고, 다른 한 곳은 '불꽃 튀는 음부'인 것이 분명하다.

예수님께서는 영계에 있는 저들을 향하여, 우리가 이 세상에서 몸을 가지고 살 때와 똑같이 '나사로', '아브라함', '네가'라고 하셨으며, 몸과 영혼이 곧 분리될 강도에게도 "네가 나와 함께 낙원에 있으리라."고 하셨다. 바울 사도도 셋째 하늘에 대한 체험을 말하면서 "그가 몸 안에 있었는지 몸밖에 있었는지 나는 모르거니와 하나님은 아시느니라."고 하셨다. 이것을 보면 성경은 우리 사람의 인격의 본체가 몸이 아니라 영혼임을 우리에게 분명하게 알려주고 있다. 몸은 내 인격의 본체인 영혼이 거하는 집과 같은 것이다. 그러므로 사람이 이 세상을 살아가는 동안에 죄를 지으면 몸에 형벌을 가하여 영혼을 괴롭게 한다. 최고로 형벌을 가할 수 있는 방법은 몸을 죽이는 것으로, 그 이상 영혼을 벌할 수 있는 능력이 사람에게는 없다. 그러나 하나님께서는 사람이 어찌할 수 없는 영혼까지도 벌을 주실 수 있는 분이시다. 그러므로 예수님께서는 하나님을 진실로 두려워하라고 하셨다.

> [마 10:28] 몸은 죽여도 영혼은 능히 죽이지 못하는 자들을 두려워하지 말고 오직 몸과 영혼을 능히 지옥에 멸하시는 자를 두려워하라

지금까지의 사망의 과정을 보면 우리의 물질 부분인 몸의 죽음도 심각하지만, 더욱 중요한 것은 우리의 비물질 부분인 영혼의 종말이다.

사망의 종착역

> [계 20:11-15] 또 내가 크고 흰 보좌와 그 위에 앉으신 자를 보니 땅과 하늘이 그 앞에서 피하여 간데 없더라, 또 내가 보니 죽은 자들이 무론대소하고 그 보좌 앞에 섰는데 책들이 펴 있고 또 다른 책이 펴졌으니 곧 생명책

이라 죽은 자들이 자기 행위를 따라 책들에 기록된 대로 심판을 받으니, 바다가 그 가운데서 죽은 자들을 내어주고 또 사망과 음부도 그 가운데서 죽은 자들을 내어주매 각 사람이 자기의 행위대로 심판을 받고, 사망과 음부도 불못에 던지우니 이것은 둘째 사망 곧 불못이라, 누구든지 생명책에 기록되지 못한 자는 불못에 던지우더라

위의 말씀은 성경의 마지막 책으로, 기록된 순서로도 마지막인 요한계시록의 마지막 부분이다. 현재의 물질세계가 없어진 후에 있을 하나님의 심판에 대한 계시로, 땅과 하늘이 없어졌으니 그때는 현재의 우주가 존재하지 않는 상태이다. 하나님께서 천지를 창조하신 목적이 달성되었고 우주의 사명이 끝났다는 말씀이다. 그때에 하나님의 마지막 결산, 즉 심판이 있다는 것이다. 당연한 하나님의 결정이라고 할 수 있다. 모든 과정이 끝났으니 마치 농부가 알곡과 가라지를 갈라 알곡은 창고에 들이고 가라지는 아궁이에 불태우는 것처럼, 하나님께서 마지막 추수 심판을 하신다는 것이다.

이 말씀 중에 "바다가 그 가운데서 죽은 자들을 내어 주고 또 사망과 음부도 그 가운데서 죽은 자들을 내어주매"라는 말이 구체적으로 무엇을 의미하는지는 분명하지 않다. 하지만 한 가지 분명한 것은 모든 죽은 자들이 심지어는 음부에 있던 자들까지도 크고 흰 보좌에 앉으신 이 앞에 나아와, 책들에 기록된 대로 그들의 행위를 따라 심판을 받는다는 것이다.

이 책에 대하여는 "책들이 펴있고 또 다른 책이 펴졌으니 곧 생명책이라."고 한 것을 보면 두 종류의 책이 있음이 분명하다. 하나는 생명책이고 다른 하나는 생명책이 아닌 책이다.

"각 사람이 자기의 행위대로 심판을 받고, 사망과 음부도 불못에 던지우니 이것은 둘째 사망 곧 불못이라, 누구든지 생명책에 기록되지 못한 자는 불못에 던지우더라."고 한 말씀을 보면, 생명책에 기록되지 않은 자들은 둘째 사망, 곧 불못에 던져지는 것이 분명하다.

그러면 생명책에 기록되지 못하여 둘째 사망, 곧 불못에 가는 자들은 누구이며 둘째 사망은 무엇일까?

> [계 21: 8] 그러나 두려워하는 자들과 믿지 아니하는 자들과 흉악한 자들과 살인자들과 행음자들과 술객들과 우상 숭배자들과 모든 거짓말하는 자들은 불과 유황으로 타는 못에 참여하리니 이것이 둘째 사망이니라

> [계 20:10] 또 저희를 미혹하는 마귀가 불과 유황 못에 던지우니 거기는 그 짐승과 거짓 선지자도 있어 세세토록 밤낮 괴로움을 받으리라

이 두 말씀을 종합해 보면, 둘째 사망은 생명책에 기록되지 않은 두려워하는 자들과 믿지 아니하는 자들과, 흉악한 자들과, 살인자들과, 행음하는 자들과, 술객들과, 우상 숭배자들과, 모든 거짓말하는 자들의 영혼이 심판을 받고 가는 곳이며, 그곳은 또한, 마귀 곧 사단과 그의 추종자들이 미리 가서 기다리고 있는 고통스러운 곳임을 알 수 있다.

이곳이 바로 예수님께서 마태복음 25장 41절에 "또 왼편에 있는 자들에게 이르시되 저주를 받은 자들아 나를 떠나 마귀와 그 사자들을 위하여 예비 된 영영한 불에 들어가라."고 말씀하신 영영한 불이다.

이 불이 어떤 종류의 불인지는 알 수 없지만, 분명히 이 세상에서 물질적인 불이 우리의 몸을 태우며 견딜 수 없을 만큼 큰 고통을 주는 것과 같이, 둘째 사망인 불못에서의 불도 영혼에 최소한 같은 정도나 혹은 그 이상의 고통을 주는 그 어떤 것이라는 것을 미루어 생각해 볼 수 있다. 이 둘째 사망의 불못은 원래 사람을 위하여 예비하신 곳이 아니고, 마귀와 그 사자들을 위하여 예비한 곳이라고 예수님께서 분명히 말씀하셨다. 예수님께서는 이곳을 지옥이라고 말씀하시며 그곳에 가지 말 것을 강하게 경고하셨다.

> [막 9:43-48] 만일 네 손이 너를 범죄케 하거든 찍어 버리라 불구자로 영생에 들어가는 것이 두 손을 가지고 지옥 꺼지지 않는 불에 들어가는 것보

다 나으니라, (없음), 만일 네 발이 너를 범죄케 하거든 찍어 버리라 절뚝발이로 영생에 들어가는 것이 두 발을 가지고 지옥에 던지우는 것보다 나으니라, (없음), 만일 네 눈이 너를 범죄케 하거든 빼어 버리라 한 눈으로 하나님의 나라에 들어가는 것이 두 눈을 가지고 지옥에 던지우는 것보다 나으니라, 거기는 구더기도 죽지 않고 불도 꺼지지 아니하느니라

이 말씀에 의하면 '지옥'은 사람이 죽은 후에 가는 곳이요, 거기는 구더기도 죽지 않고 불도 꺼지지 아니한다고 하셨으니 분명히 낙원은 아니다. 그러면 남은 곳은 바로 둘째 사망, 곧 불못밖에 없으니 예수님께서 지옥이라고 말씀하신 곳이 바로 이 둘째 사망, 곧 불과 유황으로 타는 불못임이 더욱 분명하다. 이곳이 바로 죄와 사망의 종착역이며 예수님께서 요한복음 3장 16절에 말씀하신 '멸망'이다.

이 지옥에 대한 성경 말씀은 사람의 이성과 지성 그리고 시간과 공간을 완전히 초월하는 말씀이다. 하나님의 영원한 시간 차원에 비하여 100년의 순간을, 어떻게 보면 하루살이보다도 훨씬 더 짧은 순간의 순간을 살고 가는 사람에게는, 무에서 창조된 우주가 다시 무로 돌아간 후에 오는 세계에 대한 이야기는 공상 과학 소설처럼 들리는 것이 사실이다.

그러나 이 지옥에 관한 말씀은, 부활 승천하심으로 하나님의 아들이심을 분명하게 증명하여 보여주신 예수님께서 친히 하신 말씀이다.

그러므로 사람들이 이 세상에서 부귀영화나 권세 공명을 얻기 위하여 수단과 방법을 가리지 않고 달려가며, 이를 이룬 사람들을 성공한 사람들이라고 부러워하는 사람들이 많지만, 사실은 사람이 온 천하를 얻고도 그 영혼의 종착역이 둘째 사망, 곧 지옥이라면 그 사람은 처절하게 실패한 사람이 되는 것이다. 그래서 예수님은 지옥에 가는 것은 죄 때문이므로, 손이나 발이나 눈이 범죄하거든 할 수만 있다면 손과 발을 잘라 버리고 눈을 빼어 버리고라도 지옥에 가지 말라고 강하게 경고하신 것이다.

그러나 실제로 사람이 손발을 잘라내고 눈을 파 버린다고 해서 죄를 짓지 않고 살 수 있을까? 죄는 아담과 하와로부터 그들의 모든 후손에게 전해지는 타락한 육신의 성품 때문에 나타나는 결과이기 때문에, 타락한 육신의 성품이 없어지지 않는 한 온몸이 다 잘려나간다 해도 죄는 계속 나타날 수밖에 없다. 그러므로 사람이 자기 자신의 능력으로 둘째 사망을 피할 수 있는 가능성은 전혀 없다. 이것이 많은 사람이 깨닫지도 못하고 인정하지도 않는 온 인류의 처참한 비극이다. 그러면 어떻게 하면 이 둘째 사망을 피할 수 있을까?

8. 생명책에 기록된 사람들

> [빌 4:2-3] 내가 유오디아를 권하고 순두게를 권하노니 주 안에서 같은 마음을 품으라, 또 참으로 나와 멍에를 같이한 자 네게 구하노니 복음에 나와 함께 힘쓰던 저 부녀들을 돕고 또한 글레멘드와 그 위에 나의 동역자들을 도우라 그 이름들이 생명책에 있느니라

바울 사도의 이 말씀에 의하면, 생명책에 기록된 자들은 바울의 동역자들과 더불어 모두 예수 믿는 사람들이었다.

> [눅 10:17-20] 칠십인이 기뻐 돌아와 가로되 주여 주의 이름으로 귀신들도 우리에게 항복하더이다, 예수께서 이르시되 사단이 하늘로서 번개 같이 떨어지는 것을 내가 보았노라, 내가 너희에게 뱀과 전갈을 밟으며 원수의 모든 능력을 제어할 권세를 주었으니 너희를 해할 자가 결단코 없으리라, 그러나 귀신들이 너희에게 항복하는 것으로 기뻐하지 말고 너희 이름이 하늘에 기록된 것으로 기뻐하라 하시니라

여기서 "너희 이름이 하늘에 기록된 것으로 기뻐하라."고 하신 말씀은 그들의 이름이 생명책에 기록된 것으로 기뻐하라는 뜻이다. 그러므로 생

명책에 기록된 사람들은 모두 예수 믿는 사람들인 것을 알 수 있다.

그러면 생명책에 기록된 사람들의 종말은 어떻게 되는 것일까? 이는 요한계시록 21장 1절 이하에 이렇게 기록하고 있다.

> [계 21:1-7] 또 내가 새 하늘과 새 땅을 보니 처음 하늘과 처음 땅이 없어졌고 바다도 다시 있지 않더라, 또 내가 보매 거룩한 성 새 예루살렘이 하나님께로부터 하늘에서 내려오니 그 예비한 것이 신부가 남편을 위하여 단장한 것 같더라, 내가 들으니 보좌에서 큰 음성이나서 가로되 보라 하나님의 장막이 사람들과 함께 있으매 하나님이 저희와 함께 거하시리니 저희는 하나님의 백성이 되고 하나님은 친히 저희와 함께 계셔서, 모든 눈물을 그 눈에서 씻기시매 다시 사망이 없고 애통하는 것이나 곡하는 것이나 아픈 것이 다시 있지 아니하리니 처음 것들이 다 지나갔음이러라, 보좌에 앉으신 이가 가라사대 보라 내가 만물을 새롭게 하노라 하시고 또 가라사대 이 말은 신실하고 참되니 기록하라 하시고, 또 내게 말씀하시되 이루었도다 나는 알파와 오메가요 처음과 나중이라 내가 생명수 샘물로 목 마른 자에게 값 없이 주리니, 이기는 자는 이것들을 유업으로 얻으리라 나는 저의 하나님이 되고 그는 내 아들이 되리라

지금까지 우리가 살펴본 영혼의 종말에 대한 성경의 계시는 실로 크고 놀랍다. 성경에 계시된 이 모든 것들이 반드시 하나님의 정하신 때에 하나님의 방법으로 실제로 이루어 질 것이다.

그러므로 무슨 일이 있어도 예수님을 믿고 생명책에 기록되어 죄로 인한 둘째 사망, 곧 불못에 가지 말고, 새 하늘과 새 땅에서 하나님의 자녀가 되어 영생복락을 누리는 사람이 되어야 한다. 이것이 이 세상을 살아가는 동안에 무엇을 먹으며 무엇을 마시며 얼마나 부귀영화와 권세 공명을 누리며 사느냐 하는 것보다 훨씬 더 중요하다. 이 사실은 아무리 강조해도 부족하다.

예수님을 믿어 생명책에 이름이 기록되고 하나님의 자녀가 되어 새 하늘과 새 땅에서 하나님과 함께 영생복락을 누리며 살게 되는 것을 성경에서는 '하나님의 구원을 받는다.'고 한다. 하나님의 구원에 대하여는 다음 장에서 좀 더 자세히 살펴보도록 하겠다.

제3장

그리스도 예수 안에 있는
하나님의 구원

하나님의 구원

지금까지 하나님의 아들 예수 그리스도를 믿는 믿음으로부터 시작해서, 예수님이 사람을 구원하기 위하여 오신 하나님의 아들이시며, 성경이 유일하게 기록된 하나님의 말씀이라는 것을 믿을 수 있는 분명한 증거들을 확인했다. 이와 같은 배경을 가지고 성경이 보여주고 있는 만물의 시작과, 사람의 타락과 변화 그리고 그 종말을 살펴보았다.

많은 사람이 영혼의 종말에 관하여 별로 관심 없이 인생을 살다가 죽어가지만, 사람의 영혼의 종말은 참으로 두렵고 떨리는 영원한 둘째 사망이라는 것을 성경은 분명하게 계시하고 있다. 이러한 성경의 계시는 하나님의 계획에 따라 반드시 이루어질 것이다. 성경은 기록된 하나님의 말씀이기 때문이다. 그러므로 이제 모든 사람에게 가장 중요한 것은 이 영원한 둘째 사망의 저주에서 구원을 받는 것이다. 하나님께서는 이것을 위하여 그리스도 예수 안에서 구원의 길을 열어 놓으셨다. 그리고 예수님을 통하여, "좁은 문으로 들어가라 멸망으로 인도하는 문은 크고 그 길이 넓어 그리로 들어가는 자가 많고 생명으로 인도하는 문은 좁고 길이 협착하여 찾는 이가 적음이니라."[마 7:13-14]고 말씀하셨다. 그러므로 본 장에서는 이 중요한 그리스도 예수 안에 있는 하나님의 구원에 대하여 좀 더 구체적으로 성경을 살펴보고자 한다.

1. 예수님이 말씀하신 하나님의 구원

[요 3:16-18] 하나님이 세상을 이처럼 사랑하사 독생자를 주셨으니 이는 저를 믿는 자마다 멸망치 않고 영생을 얻게 하려 하심이니라, 하나님이 그 아들을 세상에 보내신 것은 세상을 심판하려 하심이 아니요 저로 말미암아 세상이 구원을 받게 하려 하심이라, 저를 믿는 자는 심판을 받지 아니하는 것이요 믿지 아니하는 자는 하나님 독생자의 이름을 믿지 아니하므로 벌써 심판을 받은 것이니라

여기서 '하나님이 세상을 이처럼 사랑하사 독생자를 주셨으니'라는 말은 하나님께서 천지와 세계와 만물을 지으신 후에 관심 없이 내버려 두신 것이 아니고, 그것들을 모두 사랑하시되 특별히 사람을 심히 사랑하셔서 독생자를 주셨다는 말씀이다.

병들어 아프거나 장애인이 된 자녀를 향한 부모의 사랑이 더욱 애틋하듯이, 하나님을 떠나 멸망을 향하여 가는 사람들을 향한 하나님의 사랑 또한, 더욱 애틋한 것이다.

여기서 '세상'은 원어의 '코스모스'로 '세상 모든 사람'을 의미하며, '독생자'는 '하나님과 능력이나 성품이나 뜻이나 모든 면에서 한 결같이 하나님과 똑같은 단 한 분밖에 없는 하나님의 아들'이라는 뜻으로 예수님 자신을 의미한다는 것은 이미 살펴보았다. '독생자를 주셨다.'는 것은 곧 자세히 살펴보겠지만, 인류의 죄를 사하시기 위하여 대속물로 주셨다는 의미이다.

하나님께서 자기 형상 자기 모양대로 직접 지으시고 자신의 생기를 불어넣어, 자기와 사랑으로 교제하며 살 수 있는 온전한 인격을 가진 생령이되게 하신 사람을 어찌 더욱 사랑하지 않으실 수가 있을까? 이는 마치 어머니가 자신이 잉태하고 수고하고 아파하며 낳은 자식을 이 세상의 그 어떤 것보다도 더욱 더 아끼며 사랑하는 것과 같은 이치일 것이다.

그러므로 한 분밖에 없는 독생자를 보내주셔서, 누구든지 저를 믿기만 하면 멸망하지 않고 영생을 얻으며 심판에 이르지 아니하는 구원을 받게 하신 것이다. 참으로 놀라운 하나님의 사랑이다.

여기서 멸망은 둘째 사망을, 영생은 천국에서 하나님과 함께 누리는 영생복락을, 심판은 흰 보좌 심판을 의미하는 것이 이제는 더욱 분명해졌다. '구원'은 원어의 '소티리아'로 '위험에서 건져내어 안전하게 보존하는 것'을 의미한다. 그러므로 요한복음 3장 16절은, 자신이 죄인임을 깨닫고 고민하며 괴로워하는 사람들에게 참으로 기쁘고 놀라운 소식이 아닐 수 없다. 그래서 이 말씀을 복음이라고 한다.

예수님은 또한, "믿지 아니하는 자들은 하나님 독생자의 이름을 믿지 않으므로 벌써 심판을 받은 것이니라."고 분명하게 말씀하셨다. 여기서 하나님 독생자의 이름은 '예수'다. 마태복음 1장 18절 이하에 보면 '예수'는 하나님께서 그의 사자를 보내어 명명하신 이름으로, '자기 백성을 저희 죄에서 구원할 자'라는 뜻이다. 하나님께서 그의 독생자를 이 땅에 보내시면서 '이는 내 백성을 저희 죄에서 구원할 자'라고 선포하셨다. 그러므로 '독생자의 이름을 믿는 자'는 독생자를 자신을 멸망에서 구원하실 구원의 주님으로 믿고 영접하는 자들이요, 믿지 아니하는 자들은 독생자를 부인하고 거부하는 사람들이다. 이처럼 독생자를 거부하는 사람들이 가는 종말의 처소가 둘째 사망인 것은 이미 살펴본 바다. 그들은 이미 심판을 받았으므로 더는 심판이 필요 없고 그들에게 정말 필요한 것은 구원이다. 그러므로 예수님께서 "하나님이 그 아들을 세상에 보내신 것은 세상을 심판하려 하심이 아니요 저로 말미암아 세상이 구원을 받게 하려 하심이라."고 말씀하셨다.

예수님은 죄와 사망의 그늘 아래 있는 사람들에게 구원의 길을 열어주려고 오신 것이지, 또다시 심판하려고 오신 분이 아니다. 예수님께서 이 세상에 오셔서 그 구원의 길을 활짝 열어 놓으셨다. 그러니 모든 사람이 이 기회를 놓치지 말고 반드시 구원을 받아야 한다. 구원의 길이 열려 있음에도 불구하고 이를 거절하고 멸망의 길로 계속 간다면 이는 참으로 슬프고 안타깝고 어리석은 일이다.

2. 구원을 위해 독생자가 행하신 일

대속물이 되어 주심

> [마 20:28] 인자가 온 것은 섬김을 받으려 함이 아니라 도리어 섬기려 하고 자기 목숨을 많은 사람의 대속물로 주려 함이니라

이 말씀 가운데 '인자'는 예수님께서 자기 자신을 부르실 때 사용하신 말로 '하늘과 땅의 주권자'라는 뜻이다. 또한, '대속물'은 원어의 '루트론'으로 '형벌이나 죽음을 대신하여 바치는 제물'이라는 뜻이다. 이스라엘 백성이 모세의 인도함을 따라 애굽에서 나올 때 어린 양을 잡아 그 피를 문설주에 바름으로써, 모든 생축과 사람의 첫 태생이 죽임을 당하는 하나님의 심판을 면한 것이 바로 이 대속물의 구체적인 모형이다. 어린 양이 대속물이 된 것이다. 그 후로 이스라엘 백성은 이날을 기념하여 '죽음의 사자가 넘어갔다.'는 뜻으로 '유월절'이라는 절기를 만들어 오늘날까지 지키고 있다. 예수님께서 '대속물로 주려 함이니라.'고 하신 말씀은 예수님 자신이 유월절 어린 양처럼 죽고, 그 흘리신 피로 인하여 예수님을 믿는 자마다 죄 사함을 받고 멸망에서 구원을 얻게 하는 예수님의 대속사역을 의미했다. 그래서 세례 요한은 예수님을 보고 "보라 세상 죄를 지고 가는 하나님의 어린 양이로다."[요 1:29]라고 했다. 예수님의 대속 사역은 이사야서 53장 4절 이하에 이미 예언되었다.

> [사 53:4-9] 그는 실로 우리의 질고를 지고 우리의 슬픔을 당하였거늘 우리는 생각하기를 그는 징벌을 받아서 하나님에게 맞으며 고난을 당한다 하였노라, 그가 찔림은 우리의 허물을 인함이요 그가 상함은 우리의 죄악을 인함이라 그가 징계를 받음으로 우리가 평화를 누리고 그가 채찍에 맞음으로 우리가 나음을 입었도다, 우리는 다 양 같아서 그릇 행하며 각기 제 길로 갔거늘 여호와께서는 우리 무리의 죄악을 그에게 담당시키셨도다, 그가 곤욕을 당하여 괴로울 때에도 그 입을 열지 아니하였음이여 마치 도수장으로 끌려가는 어린 양과 털 깎는 자 앞에 잠잠한 양같이 그 입을 열지 아니하였도다, 그가 곤욕과 심문을 당하고 끌려갔으니 그 세대 중에 누가 생각하기를 그가 산 자의 땅에서 끊어짐은 마땅히 형벌받을 내 백성의 허물을 인함이라 하였으리요, 그는 강포를 행치 아니하였고 그 입에 궤사가 없었으나 그 무덤이 악인과 함께 되었으며 그 묘실이 부자와 함께 되었도다

이 예언에서 "우리 무리의 죄악을 그에게 담당시키셨도다. 마땅히 형벌 받을 내 백성의 허물을 인함이라."고 한 것은, 사람들의 질고와 허물과 죄악을 없애시려고 대신 형벌을 받고 돌아가실 예수님의 대속 사역을 선포한 것이다.

이 예언대로 예수님은 실제로 십자가에 달려 피를 흘리며 죽임을 당하셨다. 그 처형 장면이 마태복음 27장에 기록되어 있다. 좀 길지만, 인내심을 가지고 천천히 읽기 바란다. 성경을 산에 비유하면 이 부분은 정상이라고 할 수 있다. 길다고 건너뛰지 말고 꼭 읽기 바란다.

[마 27:35-50] 예수께서 총독 앞에 섰으매 총독이 물어 가로되 네가 유대인의 왕이냐 예수께서 대답하시되 네 말이 옳도다 하시고, 대제사장들과 장로들에게 고소를 당하되 아무 대답도 아니하시는지라, 이에 빌라도가 이르되 저희가 너를 쳐서 얼마나 많은 것으로 증거하는지 듣지 못하느냐 하되, 한마디도 대답지 아니하시니 총독이 심히 기이히 여기더라, 명절을 당하면 총독이 무리의 소원대로 죄수 하나를 놓아 주는 전례가 있더니, 그 때에 바라바 하는 유명한 죄수가 있는데, 저희가 모였을 때에 빌라도가 물어 가로되 너희는 내가 누구를 너희에게 놓아 주기를 원하느냐 바라바냐 그리스도라 하는 예수냐 하니, 이는 저가 그들의 시기로 예수를 넘겨준 줄 앎이러라, 총독이 재판 자리에 앉았을 때에 그 아내가 사람을 보내어 가로되 저 옳은 사람에게 아무 상관도 하지 마옵소서 오늘 꿈에 내가 그 사람을 인하여 애를 많이 썼나이다 하더라, 대제사장들과 장로들이 무리를 권하여 바라바를 달라 하게 하고 예수를 멸하자 하게 하였더니, 총독이 대답하여 가로되 둘 중에 누구를 너희에게 놓아 주기를 원하느냐 가로되 바라바로소이다, 빌라도가 가로되 그러면 그리스도라 하는 예수를 내가 어떻게 하랴 저희가 다 가로되 십자가에 못박혀야 하겠나이다, 빌라도가 가로되 어찜이뇨 무슨 악한 일을 하였느냐 저희가 더욱 소리질러 가로되 십자가에 못박혀야 하겠나이다 하는지라, 빌라도가 아무 효험도 없이 도리어 민란이 나려는 것을 보고 물을 가져다가 무리 앞에서 손을 씻으며 가로되 이 사람의

피에 대하여 나는 무죄하니 너희가 당하라, 백성이 다 대답하여 가로되 그 피를 우리와 우리 자손에게 돌릴지어다 하거늘, 이에 바라바는 저희에게 놓아주고 예수는 채찍질하고 십자가에 못박히게 넘겨주니라, 이에 총독의 군병들이 예수를 데리고 관정 안으로 들어가서 온 군대를 그에게로 모으고, 그의 옷을 벗기고 홍포를 입히며, 가시 면류관을 엮어 그 머리에 씌우고 갈대를 그 오른손에 들리고 그 앞에서 무릎을 꿇고 희롱하여 가로되 유대인의 왕이여 평안할지어다 하며, 그에게 침 뱉고 갈대를 빼앗아 그의 머리를 치더라, 희롱을 다한 후 홍포를 벗기고 도로 그의 옷을 입혀 십자가에 못박으려고 끌고 나가니라, 나가다가 시몬이란 구레네 사람을 만나매 그를 억지로 같이 가게 하여 예수의 십자가를 지웠더라, 골고다 즉 해골의 곳이라는 곳에 이르러, 쓸개 탄 포도주를 예수께 주어 마시게 하였더니 예수께서 맛보시고 마시고자 아니 하시더라, 저희가 예수를 십자가에 못박은 후에 그 옷을 제비 뽑아 나누고, 거기 앉아 지키더라, 그 머리 위에 이는 유대인의 왕 예수라 쓴 죄패를 붙였더라, 이때에 예수와 함께 강도 둘이 십자가에 못박히니 하나는 우편에, 하나는 좌편에 있더라, 지나가는 자들은 자기 머리를 흔들며 예수를 모욕하여, 가로되 성전을 헐고 사흘에 짓는 자여 네가 만일 하나님의 아들이어든 자기를 구원하고 십자가에서 내려 오라 하며, 그와 같이 대제사장들도 서기관들과 장로들과 함께 희롱하여 가로되, 저가 남은 구원하였으되 자기는 구원할 수 없도다 저가 이스라엘의 왕이로다 지금 십자가에서 내려올지어다 그러면 우리가 믿겠노라, 저가 하나님을 신뢰하니 하나님이 저를 기뻐하시면 이제 구원하실지라 제 말이 나는 하나님의 아들이라 하였도다 하며, 함께 십자가에 못박힌 강도들도 이와 같이 욕하더라, 제 육시로부터 온 땅에 어두움이 임하여 제 구시까지 계속하더니, 제 구시 즈음에 예수께서 크게 소리질러 가라사대 엘리 엘리 라마 사박다니 하시니 이는 곧 나의 하나님, 나의 하나님, 어찌하여 나를 버리셨나이까 하는 뜻이라, 거기 섰던 자 중 어떤 이들이 듣고 가로되 이 사람이 엘리야를 부른다 하고, 그 중에 한 사람이 곧 달려가서 해융을 가지고 신 포도주를 머금게 하여 갈대에 꿰어 마시우거늘, 그 남은 사람들이 가로되 가만 두어라 엘리야가 와서 저를 구원하나 보자 하더라, 예수께서 다시 크게 소리지르시고 영혼이 떠나시다

이 기록을 보면, 당시 유대 총독이었던 빌라도가 예수님을 최종적으로 재판했다. 유대의 대제사장들과 장로들은 예수님께서 자신이 하나님의 아들이라고 주장하자, 예수님이 사형에 해당한다고 결의는 했지만, 실제로 사형을 집행할 권한은 없었다. 빌라도만이 사형 집행권이 있어서 대제사장들과 장로들이 그에게 예수님을 재판하도록 청한 것이다. 이 재판에서 빌라도는 예수님이 무죄한 것을 알았으나, 유대인들의 강력한 요구와 민란이 일어날까 두려워 예수님을 십자가에 못 박아 사형에 처하기로 결정하고 사형선고를 내렸던 것이다.

십자가 처형은 당시 로마가 죄인에게 가장 큰 고통을 주며 죽이는 방법으로, 로마시민에게는 적용하지 않았고 피지배자들의 반란죄나 흉악범들에게만 적용했다. 심한 경우에는 십자가에서 여러 날 고통을 받게 했다.

예수님은 '유대인의 왕'이라는 죄목으로 반란죄가 적용되어 십자가 처형이 적용됐다. 왕권을 조롱하는 의미로 로마 병정들이 예수님의 머리에 가시 면류관을 눌러 씌워 피가 흐르게 하고, 왕의 옷으로 홍포를 입히고 나약한 왕권을 상징하는 갈대를 오른손에 들게 하여 희롱하며, 침 뱉고 갈대를 빼앗아 예수님을 때리는 등 온갖 모욕을 다 주었다. 그러고 나서 홍포를 벗기고 채찍질을 했는데, 당시 예수님을 형벌한 채찍은 쇠붙이나 동물의 날카로운 뼈를 촘촘히 끼운 것이었다고 한다. 채찍에 맞을 때마다 살점이 떨어져 나가고 피가 튀었다.

그리고 무거운 십자가를 지우고 골고다를 향하여 걷게 했다. 예루살렘에 가보니 당시 유적들이 잘 보관되어 있었는데, 빌라도의 법정에서 골고다까지의 거리는 한 참 먼 언덕길이었다. 상처 난 어깨에 무거운 십자가를 메고 그 먼 골고다를 향하여 언덕길을 올라가며 발걸음을 옮길 때마다 상처가 쓰리고 아팠을 테니 얼마나 고통스럽고 힘드셨을까! 기진맥진하여 일곱 번이나 쓰러지셨다고 한다.

예수님은 골고다 해골의 언덕에서 십자가에 못 박히셨다. 전문가들의 연구 기록을 보면 두 발의 복숭아뼈를 포개어 대못을 박았다고 하는데, 그렇지 않으면 체중을 유지할 수 없었다고 한다. 뼈를 다쳐본 사람은 알겠지만 뼈가 부서질 때의 통증은 이루 말로 다 할 수 없다. 양손에 못까지 박혔으니 예수님이 받은 고통은 얼마나 컸을까! 어마어마한 고통이었다. 예수님이 장장 여섯 시간이나 이렇게 십자가에서 고난을 받으실 때 십자가 주위에는 많은 사람이 있었다. 함께 십자가에 못 박힌 죄수들과 당시 유대교의 지도자들이었던 바리새인들과 장로들은 머리를 흔들며 예수님을 조롱하고 소리를 질렀다.

"네가 만일 하나님의 아들이어든 자기를 구원하고 십자가에서 내려오라. 저가 남은 구원하였으되 자기는 구원할 수 없도다. 저가 이스라엘의 왕이로다. 지금 십자가에서 내려올지어다. 그러면 우리가 믿겠노라. 저가 하나님을 신뢰하니 하나님이 저를 기뻐하시면 이제 구원하실지라. 제 말이 나는 하나님의 아들이라 하였도다."

도저히 참을 수 없는 모욕이요 조롱이었다. 당장 십자가에서 내려와 천군 천사를 불러 모욕하는 자들을 능지처참하고 지구와 온 인류를 멸망시켜도 시원치 않을 모욕이었다.

그러나 예수님은 그것이 마귀가 원하는 것이라는 것을 너무나 잘 아셨다. 십자가에서 내려오면, 예수님의 대속사역은 실패할 것이고, 인류는 죄사함을 받을 길이 전혀 없어 모두 멸망을 받을 것이며, 그렇게 되면 하나님의 뜻이 이루어질 수 없음을 너무나 잘 아셨다. 그래서 십자가에서 내려올 수 있는 능력마저도 완전히 포기하셨던 것 같다.

"제 구 시(지금의 오후 3시) 즈음에 예수께서 크게 소리 질러 가라사대 엘리 엘리 라마 사박다니 하시니 이는 곧 나의 하나님, 나의 하나님, 어찌하여 나를 버리셨나이까!"라고 하신 말씀은, 예수님이 처절하게 완전히 하나님으로부터 버림받은 상태였던 것을 분명하게 보여준다. 십자가에서 내려오라고 아무리 마귀가 소리를 질러도 내려와서는 안 되었지만 내려올 수 있는 능력도 없으셨던 것 같다. 하나님이 버리셨다고 했기 때문이다. 그만큼 예수님의 대속사역은 전혀 실수 없이 완성되어야 할 하나님의 뜻이었다. 아무리 고통이 커도 피할 길이 없었고 인류의 죄를 대속하기 위해 그대로 받아야만 했다.

마지막으로 '예수님께서 다시 크게 소리를 지르시고 영혼이 떠나시다.' 라고 하신 말씀을, 요한복음 19장 30절에 '예수께서 신 포도주를 받으신 후 가라사대 다 이루었다 하시고 머리를 숙이시고 영혼이 돌아가시니라.' 라고 하신 말씀과 대조해 보면, '크게 소리 지르시고'라는 말씀의 내용이 '다 이루었다.'라는 것을 알 수 있다. '다 이루었다.'는 말은 원어로 '태텔레스타이'로 '모든 것을 끝까지 다 이루었다.'는 뜻이다. 이로써 예수님께서는 십자가에서 운명하시면서 하나님의 독생자로서 이루어야 할 인류의 죄를 위한 대속물로써의 모든 사명을 다 이루셨다는 것을 크게 선포하셨다.

예수님은 선지자 이사야가 예언한 대로 십자가에서 유월절 어린양처럼 온 인류의 죄를 대속하기 위한 대속물이 되신 것이다. 이로서 누구든지 자기가 죄인임을 시인하고 회개하며 하나님께로 돌아와 예수님을 믿으면 죄 사함을 받고 구원을 얻게 된 것이다. 이는 실로 사람이 아무리 감사해도 다 감사할 수 없는 하나님의 한없는 은혜였다.

이것이 예수님께서 요한복음 3장 16절에서 '독생자를 주셨으니…'라는 말씀의 깊은 의미였다.

예수님의 대속은 단순히 사람의 죄를 위하여 대신 돌아가신 것만으로 끝난 것이 아니었다. 사람을 온전하게 회복시키는 속량의 역사도 함께 이루셨다.

율법의 저주에서 속량하심

> [갈 3:13-14] 그리스도께서 우리를 위하여 저주를 받은바 되사 율법의 저주에서 우리를 속량하셨으니 기록된바 나무에 달린 자마다 저주 아래 있는 자라 하였음이라, 이는 그리스도 예수 안에서 아브라함의 복이 이방인에게 미치게 하고 또 우리로 하여금 믿음으로 말미암아 성령의 약속을 받게 하려 함이니라

그리스도께서 우리를 위하여 저주를 받아 나무에 달렸다는 말씀은 예수님이 십자가에 달려 돌아가신 것을 의미한다. 십자가에서 고난을 받으시고 돌아가심은 예수님 자신의 죄가 아니라, 우리 사람들의 죄를 대신 지시고 저주를 받아 돌아가신 것이다. 이 예수님의 대속 사역을 통하여 속량하심의 역사가 이루어진 것이다.

여기서 '율법의 저주'는 율법을 범한 자가 받는 저주, 즉 죄의 저주인 사망이다. '속량'이란 '값을 주고 산다.'는 뜻인데 특별히 '노예를 사서 자유인으로 석방하는 것'을 의미한다. 그러므로 예수님의 십자가의 대속은 우리 죄인들의 죄를 대속할 뿐만 아니라 죄와 사망에서 놓여난 자유인이 되게 하신 것이다.

더욱이 아브라함의 복과 성령의 약속도 함께 받게 하신 것으로, 여기서 '아브라함의 복'은 아브라함이 하나님을 믿음으로 받은 '의롭다함'과 더불어 하나님께서 그에게 베푸신 모든 축복을 의미한다. '성령의 약속'은 성령께서 예수 믿는 사람들 안에 거하셔서 타락한 영혼을 변화시켜 새로운 피조물이 되게 하시는 축복과 더불어, 성령으로 인하여 약속된 영원한 하늘나라에 관한 것까지의 모든 축복을 의미한다.

이는 실로 놀라운 예수 그리스도의 은혜이다. 예수님의 십자가의 대속은 여기서 끝나지 않고 하나님과 죄인들을 화목하게 하셨다.

사람을 하나님과 화목하게 하심

> [롬 5:10-11] 곧 우리가 원수 되었을 때에 그 아들의 죽으심으로 말미암아 하나님으로 더불어 화목 되었은즉 화목된 자로서는 더욱 그의 살으심을 인하여 구원을 얻을 것이니라, 이뿐 아니라 이제 우리로 화목을 얻게 하신 우리 주 예수 그리스도로 말미암아 하나님 안에서 또한 즐거워하느니라.

하나님과 원수같이 지내던 사람이 하나님과 화목하게 되었다는 것은 대단한 축복이다. 아버지를 버리고 자기 몫의 유산을 가지고 먼 나라로 떠나가 허랑방탕하며 살던 탕자가 회개하고 돌아와 아버지와 화목하게 된 것 같이, 하나님을 버리고 죄악 가운데 살며 하나님을 원수같이 대적하던 사람이 예수님의 대속으로 말미암아 하나님과 화목할 수 있게 된 것이다. 아담과 하와가 가졌던 하나님과의 갈등이 없어졌으니 이 얼마나 큰 축복인가? 이는 오직 예수님께서 죄인 된 사람들을 위해 대신 죽어주셨기 때문이다.

부활의 첫 열매가 되심

예수님의 부활은 역사적인 사건으로 예수님이 진정 하나님의 아들이셨다는 것을 증명하는 가장 독특한 증거임은 이미 살펴보았다. 예수님의 부활이 없었다면 그리스도인의 믿음도 헛되고, 믿고 죽은 자들도 헛되며 천국에 대한 소망도 확실치 않다. 그러면, 예수님의 부활이 오직 예수님께서 하나님의 아들이셨음을 증명하기 위한 것으로만 끝난 것일까? 예수님을 믿는 사람들과는 무관한 것일까? 관계가 있다면 과연 무엇일까?

> [요 6:38-40, 44, 54-55] 내가 하늘로서 내려온 것은 내 뜻을 행하려 함이 아니요 나를 보내신 이의 뜻을 행하려 함이니라, 나를 보내신 이의 뜻은 내게 주신 자 중에 내가 하나도 잃어버리지 아니하고 마지막 날에 다시 살리는 이것이니라, 내 아버지의 뜻은 아들을 보고 믿는 자마다 영생을 얻

> 는 이것이니 마지막 날에 이를 다시 살리리라 하시니라, (44) 나를 보내신 아버지께서 이끌지 아니하면 아무라도 내게 올 수 없으니 오는 그를 내가 마지막 날에 다시 살리리라, (54-55) 내 살을 먹고 내 피를 마시는 자는 영생을 가졌고 마지막 날에 내가 그를 다시 살리리니, 내 살은 참된 양식이요 내 피는 참된 음료로다

예수님의 이 말씀에 의하면, 예수님은 세상 사람들의 죄를 대속하기 위하여 십자가에서 대속물이 되어주시고 부활하시어 하나님의 아들이심을 증거하신 후 하늘나라로 돌아가시는 것만이 이 세상에 오신 목적이 아니었다. 예수님을 보고 믿는 자들을 마지막 날에 다시 살리시는 것도 그 목적 중에 하나였으며, 이것은 예수님을 보내신 하나님 아버지의 뜻에 포함되어 있었다. 예수님을 믿는 자들을 부활시키는 것이 천지의 주재이신 하나님께서 원하시는 뜻이었다는 사실은 실로 놀라운 계시였다. 하나님께서는 우리 사람들이 죽기를 원치 아니하시고 죽었다가도 다시 부활하여 영원히 살기를 원하신다는 말씀이다. 그러므로 이는 반드시 실제로 이루어질 것이다.

> [고전 15:19-22, 45-49] 만일 그리스도 안에서 우리의 바라는 것이 다만 이생뿐이면 모든 사람 가운데 우리가 더욱 불쌍한 자리라, (20) 그러나 이제 그리스도께서 죽은 자 가운데서 다시 살아 잠자는 자들의 첫 열매가 되셨도다, (21) 사망이 사람으로 말미암았으니 죽은 자의 부활도 사람으로 말미암는도다, (22) 아담 안에서 모든 사람이 죽은 것같이 그리스도 안에서 모든 사람이 삶을 얻으리라… (45-49) 기록된 바 첫 사람 아담은 산 영이 되었다 함과 같이 마지막 아담은 살려 주는 영이 되었나니, 그러나 먼저는 신령한 자가 아니요 육 있는 자요 그 다음에 신령한 자니라, 첫 사람은 땅에서 났으니 흙에 속한 자이거니와 둘째 사람은 하늘에서 나셨느니라, 무릇 흙에 속한 자는 저 흙에 속한 자들과 같고 무릇 하늘에 속한 자는 저 하늘에 속한 자들과 같으니, 우리가 흙에 속한 자의 형상을 입은 것같이 또한 하늘에 속한 자의 형상을 입으리라

이 말씀으로 바울 사도는 부활의 비밀을 공개하며, 예수님께서 부활하심으로 말미암아 그가 잠자는 자들 즉 죽은 자들의 첫 열매가 되셨다고 했다.

여기서 '첫 열매'는 예수님께서 제일 먼저 부활하심으로 종자 씨가 되었다는 말이다. 종자 씨를 뿌리면 종자 씨와 똑같은 많은 열매를 맺듯이, 예수 믿고 죽은 수많은 사람이 언젠가는 예수님의 부활과 똑같은 형상으로 부활하는 것을 의미한다. 그러므로 "이제 그리스도께서 죽은 자 가운데서 다시 살아 잠자는 자들의 첫 열매가 되셨도다."[고전 15:20]라고 하신 말씀 중에 '잠자는 자들'이란, 모든 죽은 자들이 아니고 예수님을 믿고 죽은 자들을 의미하셨음이 분명하다.

성경은 물론 예수님을 믿지 않고 죽는 사람들도 부활한다고 했다. 그러나 그들의 부활은 예수님의 부활을 닮은 부활이 아니고 심판을 위한 부활이다.

[요 5:29] 선한 일을 행한 자는 생명의 부활로 악한 일을 행한 자는 심판의 부활로 나오리라

위의 [고전 15:21-22] 말씀에서 바울 사도는 왜 예수님께서 이 땅에 사람의 모양으로 오셔서 죽으시고 부활하셨어야 했는가를 설명해 주셨다.

하나님께서 사람의 죄만 용서하려 하셨다면, 이스라엘 백성에게 특혜를 베풀어 짐승의 피로 속죄하게 하셨듯이 온 인류를 위하여 그렇게 하셨을 수도 있었다. 그러나 하나님께서는 그렇게 하지 않으시고 독생자를 사람의 모든 인성을 가진 사람의 모양으로 이 세상에 보내셨다. 왜 그렇게 하셨을까?

그 이유를 "사망이 사람으로 말미암았으니 죽은 자의 부활도 사람으로 말미암는 도다. 아담 안에서 모든 사람이 죽은 것 같이 그리스도 안에서 모든 사람이 삶을 얻으리라."[고전 15:21-22]고 하신 말씀에서 찾을 수 있다.

이 말씀은 사망이 첫 사람 아담으로 인하여 모든 사람에게 임한 것 같

이, 죽은 자의 부활도 사람으로 말미암는다는 것이다. 그러나 첫 사람 아담의 후손들은 모두가 사망의 저주와 권세 아래 있어 죽고 부활할 수 있는 사람이 한 사람도 없으므로, 하나님께서는 아담의 후손 중에서 부활의 조상이 될 수 있는 사람을 찾으실 수가 없으셨다.

그러므로 하나님께서는 독생자를 죄가 전혀 없는 사람으로 이 세상에 보내시어, 십자가에서 대속물이 되어 죽게 하시고 부활하게 하심으로 부활의 종자 씨가 되게 하신 것이다. 그리하여 이제 예수님을 믿는 사람들은 죽어도 죽음으로 끝나지 않고 그리스도 예수 안에서 예수님을 닮아 부활하게 된 것이다. 그래서 바울 사도는 "기록된바 첫 사람 아담은 산영이 되었다함과 같이 마지막 아담은 살려주는 영이 되었나니"[고전 15:45]라고 하셨다. 여기서 첫 사람 아담은 에덴동산의 아담이고 마지막 아담은 예수님을 의미한다.

바울 사도는 계속해서 첫 사람 아담과 마지막 아담인 예수님을 비교했다. 첫 사람 아담은 신령한 자가 아니고 육 있는 자요 땅에서 나서 흙에 속한 자이므로, 그 후손도 육 있는 자요 흙에 속한 자들이 되어 흙에 속한 자의 형상을 입은 것 같이, 마지막 아담인 예수님은 신령한 자이시며 하늘에서 나서 하늘에 속한 자이시므로 예수님을 믿고 예수님의 후손이 된 사람들은 하늘에 속한 자들이 되어 예수님의 형상을 입으리라고 하셨다.

그래서 바울 사도는 놀라운 부활의 축복을 이렇게 선포했다.

> [빌 3:20-21] 오직 우리의 시민권은 하늘에 있는지라 거기로서 구원하는 자 곧 주 예수 그리스도를 기다리노니, 그가 만물을 자기에게 복종케 하실 수 있는 자의 역사로 우리의 낮은 몸을 자기 영광의 몸의 형체와 같이 변케 하시리라.

여기서 '몸'은 원어의 '소마'라는 단어로 '육체의 몸'이다. 그러므로 '우리의 낮은 몸'이란 우리가 지금 지상에서 가지고 있는 이 물질의 몸을 의미한다. 지금 우리가 가지고 있는 이 물질의 몸은 제한이 많고 연약하여 피곤하며, 병들어 괴로워하고 아무리 가꾸어도 영광스럽지도 않으며 별로 아름답지도 않다. 바울 사도는 예수님께서 이러한 우리의 몸을 예수님의 영광스러운 몸의 형체와 같이 변하게 하실 것이라고 했다. 그 몸은 팔레스타인 지역의 작열하는 정오의 해보다 더 밝아서 사울이 그 빛을 보는 순간 눈이 멀게 될 정도로 영광스러운 몸이다. 이것이 예수님의 부활체이다. 예수님께서 다시 오실 때 그가 만물을 자기에게 복종하게 하실 수 있는 자, 곧 하나님의 역사로 예수 믿고 구원받은 모든 사람을 이처럼 영광스러운 예수님의 형체와 같이 변하게 하실 것이라고 하셨다.

여기서 '형체와 같이'는 '본질적으로 같은 형체'라는 뜻이며, '형체'라는 말은 빌립보서 2장 5절 이하에 '그는 근본 하나님의 본체시나'에서 '본체'로 번역된 말과 같은 단어로 '본질적으로 동일하다'는 뜻이다.

이는 백목과 백목 가루가 본질적으로 동일한 것과 같은 의미이다. 그러므로 예수님을 믿는 사람들이 마지막 날에 다시 살리심을 받고 부활할 때 변화되는 모습은 본질적으로, '예수님 영광의 몸의 형체' 즉 '근본 하나님의 본체'와 같은 형언할 수 없이 영광스런 모습임을 성경은 우리에게 분명하게 보여주고 있다. 하나님께서는 이렇게 대단한 축복을 우리에게 주시기 위하여 그의 독생자를 이 세상에 사람으로 보내셔서, 우리의 죄를 대속하시고 죽음의 권세를 이기시고 부활하시어 예수님을 믿어 구원받은 모든 사람으로 하여금 영광스런 부활의 축복을 영원히 누리게 하신 것이다. 하나님의 은혜는 실로 형언할 수 없이 크고도 크시다.

하늘과 땅의 모든 권세를 받으심

[마 28:18-20] 예수께서 나아와 일러 가라사대 하늘과 땅의 모든 권세를 내게 주셨으니, 그러므로 너희는 가서 모든 족속으로 제자를 삼아 아버지

> 와 아들과 성령의 이름으로 세례를 주고, 내가 너희에게 분부한 모든 것을 가르쳐 지키게 하라 볼지어다 내가 세상 끝날까지 너희와 항상 함께 있으리라 하시니라

예수님은 부활하심으로 자신이 하나님의 아들이셨음을 증거하고, 곧이어서 하늘과 땅의 모든 권세를 받으셨다고 선포하셨다. 그러므로 예수님은 예수님을 믿는 사람들에게 약속하신 모든 것을 실행하실 수 있다. 따라서 예수님을 믿는 사람들은 하나님의 구원과 부활에 대하여 확신할 수 있고 안심할 수 있는 것이다.

하나님의 공의와 사랑을 조화시키심

> [요 17:25] 의로우신 아버지여 세상이 아버지를 알지 못하여도 나는 아버지를 알았삽고 저희도 아버지께서 나를 보내신 줄 알았삽나이다

> [요일 4:16] 하나님이 우리를 사랑하시는 사랑을 우리가 알고 믿었노니 하나님은 사랑이시라

> [벧전 4:8] 사랑은 허다한 죄를 덮느니라

예수님은 하나님을 '의로우신 아버지'라고 부르셨다. 이 '의롭다'는 말은 원어의 '디카이오스'로 '편견이 없이 공평하다'는 뜻이다. 이 말이 하나님의 심판에 대하여 쓰일 때는 하나님의 심판은 누가 보더라도 편견 없이 공평하다는 뜻이다. 하나님의 모든 심판은 의로운 심판이어야 한다. 그러므로 아담과 하와가 죄를 지었을 때 "너희가 먹는 날에는 정녕 죽으리라."[창 2:17]고 하신 말씀과, "죄의 삯은 사망이요."[롬 3:23]라고 하신 하늘나라의 법을 따라 사망으로 그들을 심판하셔야 했다.

그러나 또한, 하나님은 사랑이시다. 아담과 하와가 죄를 짓고 타락하여 그들의 후손들도 그들과 똑같이 타락한 성품을 가지고 태어나 죄인 되는 모습을 보시고, 하나님께서는 즉각적으로 사람의 죄를 심판하고 정죄하시며 형벌을 가하시기보다는 덮어주고 용서해 주시기를 원하셨다. 사랑은 허다한 허물을 덮어주기 때문이다. 그러므로 아담과 하와가 범죄했을 때 즉시 심판하지 아니하시고 여러 번 질문하시며 회개하기를 기다리셨다.

여기에 죄인 된 아담과 하와 그리고 그들의 후손들을 보시는 하나님의 괴로운 심정이 있다. 그들을 심판하자니 사랑하는 사람이 죽어야 하고, 그렇다고 그들의 죄를 그대로 덮어주자니 자신의 공언과 하늘나라의 법을 어기는 불의한 하나님이 되는 것이다. 이것이 죄인을 바라보시는 하나님의 사랑과 공의의 갈등이었다. 크나큰 이율배반이었다.

이 갈등이 그리스도 예수 안에서 십자가로 해결된 것이다. 하나님께서는 공의를 따라 일단 죄인들을 심판하시고 사망을 선포하셨다. 그리고 하나님의 본체이시며 하나님과 동등하고 자신과 하나이며 만물을 함께 지으신 독생자를 이 땅에 사람의 모양으로 보내셔서, 사람의 죄를 대신하여 사람이 받아야 할 하나님의 심판을 대신 받고 고난과 죽음의 형벌을 대신 담당하게 하셨다. 이는 하나님 자신이 사람이 받을 형벌을 대신 받으신 것이다.

그리고 아담과 하와는 사단의 유혹으로 인하여 하나님을 불신하고 범죄하므로 하나님을 믿는 믿음에 실패했으나, 하나님께서는 이제 모든 사람에게 다시 기회를 주시어 누구든지 예수를 믿기만 하면 "네 죄 값은 나의 독생자가 다 지불해 버렸다. 너는 이제 죄 없다."라고 선포해 주시는 것이다. 이는 하나님 자신이 우리가 지불해야 할 죗값을 대신 지불하셨다는 말씀이다.

그리하여 이제 예수님을 믿고 예수 안에 거하는 사람들에게는 하나님의 사랑과 공의가 동시에 만족하게 된 것이다. 사랑과 공의의 갈등이 없어졌으니 더는 하나님의 심정이 괴롭지 않게 된 것이다. 사람이 하나님과 함께 영생해도 하나님께서는 더 이상 부담이 없으시고, 오직 사랑만이 충만하여 하나님과 함께 새 하늘 새 땅에서 영생하게 해 주신 것이다. 예수 믿는 사람들이 하나님의 기쁨이 된 것이다.

이것이 바울 사도가 "십자가의 도가 멸망하는 자들에게는 미련한 것이요 구원을 얻는 우리에게는 하나님의 능력이라."[고전 1:18]고 말씀하신 십자가의 도다. 한없는 하나님의 사랑과 예수님의 크신 은혜가 하나 되어 십자가에서 찬란하게 빛난다. 십자가를 통하여 하나님의 사랑이 완전하게 나타났기 때문이다. 죄인들을 구원하기 위하여 독생자를 대속물로 내어주어 심판과 형벌을 대신 받고 죽게 하신 한없는 하나님의 사랑과 하나님의 뜻을 이루고 세상 죄인들을 구원하시기 위하여 스스로 자원하여 십자가의 고난을 받고 대신 돌아가신 독생자 예수 그리스도의 크신 은혜가, 십자가에서 온 인류를 향하여 완전하게 보여졌기 때문이다.

예수님을 믿지 않는 사람들을 향해서도 하나님의 사랑은 여전히 강렬하다. 하나님은 사랑이시며 그 사랑은 어제나 오늘이나 영원토록 변함이 없으시기 때문이다. 그러나 동시에 그들을 향한 하나님의 공의도 강렬하게 역사한다. 왜냐하면, 대속이 없기 때문이다. 그러므로 예수 믿지 않는 사람들, 즉 예수 그리스도의 대속의 은혜를 거절하는 사람들은 자기 죄를 자기 스스로 책임지고, 그 죗값인 사망을 스스로 담당해야 한다.

하나님은 죄인들을 사랑하셔서 하나님의 공의의 심판이 필요 없도록 독생자까지 보내주셨고, 독생자 예수님은 십자가에서 큰 고난을 받으시고 우리의 죄를 대신하여 돌아가심으로써 대속의 길을 열어 놓으셨다. 그럼에도 불구하고 이를 거절하고 계속하여 심판과 사망의 길이 좋다고 달려가는 사람들을 향한 안타까운 하나님의 심정, 그 아픈 마음은 도저히 형언할 수 없을 것이다. 그러나 하나님께서는 그 아픔을 참으시든지 아니면 잊든지 하셔야지, 이제는 더 하실 것이 없으시다.

단 하나밖에 없는 죄 없고 지극히 거룩하신 독생자를 하늘나라 영광의 보좌를 떠나, 죄의 오염으로 말할 수 없이 더럽고 추해진 이 세상에 사람의 모양으로 보내신 것만도 하나님의 마음을 쓰리고 아프게 했을 것이다. 더욱이 십자가에서 머리에 가시관 쓰고 양발 양손에 못이 박혀 피 흘리고 고통하며, "나의 하나님 나의 하나님 어찌하여 나를 버리셨나이까?" 절규하는 모습을 보시는 하나님의 마음은 어떠하셨을까? 고난을 받으시는 예수님의 아픔보다도 더한, 칼로 심장을 도려내는 듯 한 극한 아픈 마음이었을 것이 분명하다. 이렇게 큰 고통까지도 감수하시면서 열어놓은 대속의 은혜를 거절하는 사람들에게, 하나님께서 무엇을 더 하실 수 있으실까! 죄인 된 사람이 하나님께서 무엇을 더해 주시도록 바랄 수 있을까? 예수님의 대속의 은혜는 족하고도 족하다. 예수님의 십자가 대속은 하나님의 사랑과 공의의 갈등을 해결하는 하나님의 마지막 은혜였다.

지금까지 사람의 구원을 위하여 하나님의 독생자가 행하신 일들을 살펴보았다. 예수님께서는 하나님 아버지의 뜻을 따라 사람의 죄를 대속하시고, 사람을 속량하시기 위하여 대속물이 되어 십자가에서 피 흘려 죽으셨다. 또한, 부활하시어 예수 믿는 자들의 첫 열매가 되셨으며, 하늘과 땅의 모든 권세를 받으시고 하나님의 사랑과 공의를 완전히 조화시키셨다. 실로 우리 죄인 된 사람들을 구원하시기 위하여 필요한 모든 것을 완벽하게 준비해 놓으셨다. 이제 우리는 예수님의 공로를 의지하여 하나님 앞에 나아가 예수님을 믿기만 하면 하나님의 구원을 받을 수 있게 된 것이다.

3. 구원의 섭리

구원의 특성

[딤후 1:7-9] 하나님이 우리에게 주신 것은 두려워하는 마음이 아니요 오직 능력과 사랑과 근신하는 마음이니, 그러므로 네가 우리 주의 증거와 또

는 주를 위하여 갇힌 자 된 나를 부끄러워 말고 오직 하나님의 능력을 좇아 복음과 함께 고난을 받으라 (9) 하나님이 우리를 구원하사 거룩하신 부르심으로 부르심은 우리의 행위대로 하심이 아니요 오직 자기 뜻과 영원한 때 전부터 그리스도 예수 안에서 우리에게 주신 은혜대로 하심이라

상기 9절 말씀에 의하면 하나님 구원의 특성은 아래와 같다.

1. 하나님이 우리를 구원하사: 하나님께서 구원하심

2. 거룩하신 부르심으로 부르심은: 거룩한 부르심임

3. 우리의 행위대로 하심이 아니요: 행위에 의한 것이 아님

4. 오직 자기 뜻과: 오직 하나님의 뜻에 의한 것임

5. 영원한 때 전부터: 영원 전부터 계획하심

6. 그리스도 예수 안에서: 그리스도 예수 안에서만 구원이 있음

7. 우리에게 주신 은혜대로 하심이라: 하나님의 은혜에 의함

이 말씀은 바울 사도의 마지막 서신으로, 친아들같이 사랑하는 제자 디모데에게 보낸 두 번째 편지의 한 부분이다. 바울 사도는 이 편지를 보낸 후 곧 순교한 것으로 전해진다.

바울 사도는 감옥에서 임박한 순교를 앞두고도 두려워하거나 탄식하거나 원망하는 기색이 조금도 없었다. 오히려 고난을 이기는 능력과 사랑과 근신하는 자세를 보이고, 복음을 위하여 갇힌 자신이 받는 고난에 대한 긍지를 가지고 디모데에게도 하나님의 능력을 좇아 복음과 함께 고난을 받으라고 권면했다. 이때가 바울 사도가 부활 승천하신 예수님을 만난 후 약 30여 년이 지난 것으로 믿어지는데, 그 긴 세월 동안 오직 복음을 위하여 온갖 고난과 역경을 헤쳐 왔음에도 불구하고 약해지지 않고 더욱 강한 믿음의 사도가 되었다. 순교를 앞두고도 초연한 자세로 하나님 구원의 비밀을 밝히는 모습은 참으로 많은 도전과 본이 된다.

특별히 9절에서 바울 사도는 놀라운 하나님의 구원에 대하여 그때까지 감추어졌던 사실들을 드러낸다. '하나님이 우리를 구원하사'라는 말은 구원은 하나님께서 해 주시는 것이지 우리가 스스로 이루는 것이 아니라는 것이다. 이것이 구원, 즉 우리가 하나님께 받는 구원의 첫째 특성이다.

또한, '거룩하신 부르심으로 부르심은'이라는 말은 하나님께서 친히 구원하신 사람들을 거룩한 부르심, 즉 성도라 부르시고 하나님의 백성 하나님의 자녀라 부르시며 또는 사도와 목사와 일꾼으로 부르셨다는 뜻이다. 이는 사람의 부르심이 아니고 천지의 주재이신 하나님께서 거룩한 백성으로 부르셨다는 말씀으로, 이것이 구원의 둘째 특성이다.

'우리의 행위대로 하심이 아니요.'라고 하신 말씀은 하나님의 구원은 사람들의 행위를 따라 되는 것이 아니라는 말씀이다. 여기서 '행위'는 '율법의 행위' 즉 선행을 의미하며, 하나님의 구원은 율법의 행위에 의하여 주어지는 것이 아니라는 것을 아래의 성경 구절이 잘 설명하고 있다.

> [롬 3:20-22] 그러므로 율법의 행위로 그의 앞에 의롭다 하심을 얻을 육체가 없나니 율법으로는 죄를 깨달음이니라, 이제는 율법 외에 하나님의 한 의가 나타났으니 율법과 선지자들에게 증거를 받은 것이라, 곧 예수 그리스도를 믿음으로 말미암아 모든 믿는 자에게 미치는 하나님의 의니 차별이 없느니라

율법 특히 십계명을 보면 누구도 이것을 온전히 지킬 수 없다는 것을 잘 알 수 있다. 하나님께서 이렇게 사람이 도저히 다 지킬 수 없는 율법을 주시고 이 율법을 온전히 지켜야 구원해 주시겠다고 주장하신다면, 하나님은 사람을 구원해 주실 마음이 없으시다는 뜻이다. 그러므로 사람에게 율법을 주신 것은 율법을 지켜 구원받으라고 주신 것이 아니라는 것이 분명하다.

그러면 율법을 주신 목적이 무엇일까? 율법을 보고 우리가 죄인임을 깨

달으라는 것이다. 율법은 우리의 죄를 반사시켜 주는 거울 같아서 율법을 대하면 우리의 죄가 나타난다. 하나님을 하나님으로 모시지 못하는 죄도 나타나고, 부모님을 공경하지 못하는 죄도 나타나며, 아내와 자녀들과 이웃을 사랑하지 못한 죄도 떠오르고, 음란, 사기, 거짓, 도적질 등 온갖 추한 죄악들이 역겹게 떠오른다. 이때 진정 깨끗하고 진실하게 살기를 원하는 사람들은, "오호라 나는 곤고한 사람이로다. 이 사망의 몸에서 누가 나를 건져내랴."[롬 7:14]고 했던 바울 사도의 탄식과 같은 탄식이 나오고, 속죄의 길을 강하게 찾게 된다. 하나님께서는 이와 같은 사람들에게 하나님의 구원을 베풀어주신다. 그러므로 하나님의 구원하심은 율법을 지키는 사람의 행위로 말미암아서 되는 것이 아니다! 이것이 구원의 셋째 특성이다.

또한, 구원은 "오직 자기 뜻과 영원한 때 전부터 그리스도 예수 안에서 우리에게 주신 은혜대로 하심이라."고 하셨다. 여기서 '오직 자기의 뜻'은 원어로 '오직 자기의 목적'이라는 뜻이다. 하나님께서 사람을 구원하시며 거룩하게 부르심은 하나님의 목적에 따라서 그렇게 하신다는 말씀이다. 의도적이고 계획적이다. 이것이 구원의 넷째 특성이다.

더 나아가 하나님의 구원과 부르심은 '영원한 때 전부터'라고 하셨다. 여기서 '영원한 때 전부터'라는 말은 과거에 '영원한 때'가 있었다면 '그 이전에'라는 뜻이다. 영원이라는 시간에도 끝이 없는데 그 이전이니 감이 잡히지 않고, 그저 우주도 생기기 전 '영원 영원 전에'라고 이해할 수밖에 없다. 그러므로 지금은 잘 이해가 되지 않지만, 사람의 구원은 천지창조 훨씬 이전에 하나님의 계획 가운데 있었다는 것이다. 이것이 구원의 다섯째 특성이다.

바울 사도는 계속해서 하나님의 구원은 그리스도 예수 안에서 계획되었다고 했다. 이는 중요한 하나님 구원의 특성이다. 하나님의 구원은 오직 그리스도 예수 안에서만 가능하다는 말씀으로, 바울 사도가 이 사실을 계시 받기 훨씬 이전에 이미 예수님께서 "내가 곧 길이요 진리요 생명이니 나로 말미암지 않고는 아버지께로 올 자가 없느니라."[요 14:6]고 말씀하셨다. 이것이 구원의 여섯째 특성이다.

구원의 마지막 특성은 영원 전부터 그리스도 예수 안에서 우리에게 주신 '은혜'대로 하셨다는 것이다. 여기서 '은혜'는 원어의 '카리스'라는 말인데 '하나님께서 거저 베풀어주시는 호의'라는 뜻으로 상도 빚도 아니다. 상은 상을 받을 만한 자격이 있는 사람에게 주는 것이므로, 주는 사람이 주기 싫어도 줘야 하고 빚은 갚을 의무가 있기 때문에 갚기 싫어도 갚아야 한다. 그러나 은혜는 받을 만한 자격이 없음에도 불구하고 거저 베풀어 주는 호의이기 때문에 은혜다. 사람이 받는 하나님의 구원은 사람이 받을만한 자격이 있어서 받는 것이 아니라, 하나님께서 사랑하시고 긍휼히 여기셔서 거저 주시는 은혜의 선물이다. 이것이 구원의 일곱째 특성이다.

바울 사도가 이 짧은 한 절의 말씀을 통하여 보여주시는 영원 전부터 시작된 하나님의 구원의 섭리는 실로 놀랍다. 그는 부활 승천하신 예수님을 직접 만나 예수님으로부터 정오의 해보다도 더 밝게 비추는 빛에 눈이 망가지는 체험을 했고, 두려운 음성을 들었으며, 셋째 하늘에 이끌려가서 하나님으로부터 사람이 가히 이르지 못할 말씀을 듣고 왔다. 이와 같은 신비한 영적체험과 더불어 하나님과 깊은 교통가운데 계시된 하나님의 구원에 관한 비밀이었는데, 그의 가장 사랑하는 아들과 같은 제자 디모데에게 마지막 유언과 함께 알려주셨다. 그리고 복음과 함께 고난을 받으라고 명하시고 세상을 떠났다. 짧은 순간의 인생과 세계와 우주를 넘어 영원이라는 차원에서 볼 때 그 길이 가장 복된 최상의 길이였기 때문이다.

오직 믿음으로

[엡 2:8-9] 너희가 그 은혜를 인하여 믿음으로 말미암아 구원을 얻었나니 이것이 너희에게서 난 것이 아니요 하나님의 선물이라, 행위에서 난 것이 아니니 이는 누구든지 자랑치 못하게 함이니라

사람을 위한 하나님의 구원은 전적으로 하나님의 섭리에 의하여 하나님께서 완전하게 준비하시고 이루신다. 그러나 구원이 사람에게 전달되는 길, 즉 사람이 구원을 자기의 것으로 소유하는 길은 오직 예수님을 믿는 믿음뿐이다. 사람을 구원하시고자 하시는 하나님의 뜻과 은혜, 예수 그리스도의 길과 진리와 생명 되심도 하나님께서 모두 완벽하게 준비해 놓으셨다. 하지만, 예수님을 믿는 믿음만은 구원받기 원하는 사람의 몫이라는 뜻이다. 이러한 믿음은 믿음의 정의에서 살펴본 바와 같이 사람의 자유의지에 속한 것으로, 하나님께서는 특별한 경우가 아니면 좀처럼 침해하지 않으신다. 이미 여러 번 강조했듯이 하나님께서는 사람의 인격을 존중하시기 때문이다. 이는 부모가 자녀를 낳았지만 자녀들이 부모의 부속물이 아닌, 온전한 인격과 자유의지를 가진 개체로서 부모와 사랑과 존경의 관계를 갖는 것과 같다고도 할 수 있다.

그러므로 천하에 둘도 없는 악한 죄인이라도 예수님을 믿는 믿음으로, 천하에 보기 드문 착하고 선한 의인이라도 예수님을 믿는 믿음으로 구원을 받는다. 이는 의롭고 착한 선인이나 혹은 천하에 없는 악인이나 사람이 보기에는 차이가 있을지 라도, 하나님이 보시기에는 모두 죄인이기 때문이다.

그러므로 하나님께서는 은혜를 베푸시어 누구든지 예수님을 믿는 믿음으로 하나님 앞에 나오면, 예수님의 대속의 은혜로 우리의 모든 죄를 용서하시고 놀라운 하나님의 구원을 베풀어 주신다. 우리 인간이 도저히 스스로 이룰 수 없는 구원을 받기 위한 모든 조건은 하나님께서 담당하시고, 사람에게는 오직 사람이 할 수 있는 예수님을 믿는 믿음만 요구하신다. 이는 하나님을 믿는 믿음에 실패한 아담과 하와의 후손들에게 베푸시는 하나님의 귀한 회복의 기회로, 하나님의 구원은 참 공평하다.

4. 하나님의 구원을 선물로 받아들이는 행동

회개

여기서 '이때'는 예수님께서 갈릴리 호숫가에 있는 가버나움에서 천국 복음 사역을 막 시작하시는 때였다.

예수님께서 사역을 시작하시면서 최초로 선포하신 말씀이 "회개하라. 천국이 가까왔느니라."였다.

'회개'란 원어의 '메타노에오'로 '메타' 즉 '후에'와 '노에오' 곧 '깨닫다'의 합성어로 '후에 깨닫다.'라는 뜻이다. 성경에서 이 말은 항상 좋은 변화를 가져오는 행동을 내포하며, 어떤 일 또는 어떤 행동을 하고 나서 잘못된 것이나 부족한 것을 깨닫고 옳은 것 혹은 좀 더 좋은 것으로 행동을 바꾼다는 뜻이다.

회개는 후회와는 다르다. 후회는 잘못을 깨닫고 탄식하며 결심하면서도 계속 잘못된 길로 갈 수 있다. 후회는 회개의 시작은 될 수 있으나 후회가 후회로만 끝나면 회개는 될 수 없다. 예수님께서 회개란 바로 이런 것이라고 비유로 가르쳐 주신 말씀이 있다.

[눅 15:11-20] 또 가라사대 어떤 사람이 두 아들이 있는데, 그 둘째가 아비에게 말하되 아버지여 재산 중에서 내게 돌아올 분깃을 내게 주소서 하는지라 아비가 그 살림을 각각 나눠 주었더니, 그 후 며칠이 못되어 둘째 아들이 재물을 다 모아가지고 먼 나라에 가 거기서 허랑방탕하여 그 재산을 허비하더니, 다 없이한 후 그 나라에 크게 흉년이 들어 저가 비로소 궁핍한지라, 가서 그 나라 백성 중 하나에게 붙여 사니 그가 저를 들로 보내는지라 아비가 그 살림을 각각 나눠 주었더니, 그 후 며칠이 못되어 둘째 아들이 재물을 다 모아가지고 먼 나라에 가 거기서 허랑방탕하여 그 재산

을 허비하더니, 다 없이한 후 그 나라에 크게 흉년이 들어 저가 비로소 궁
핍한지라, 가서 그 나라 백성 중 하나에게 붙여 사니 그가 저를 들로 보내
어 돼지를 치게 하였는데, 저가 돼지 먹는 쥐엄 열매로 배를 채우고자 하
되 주는 자가 없는지라, 이에 스스로 돌이켜 가로되 내 아버지에게는 양식
이 풍족한 품꾼이 얼마나 많은고 나는 여기서 주려 죽는구나, 내가 일어나
아버지께 가서 이르기를 아버지여 내가 하늘과 아버지께 죄를 얻었사오니,
지금부터는 아버지의 아들이라 일컬음을 감당치 못하겠나이다 나를 품꾼
의 하나로 보소서 하리라 하고, 이에 일어나서 아버지께로 돌아가니라

여기서 탕자가 한 것이 진정한 회개다. 이 탕자의 회개에는 아주 중요한
요소가 하나 포함되어 있다.

"내가 일어나 아버지께 가서 이르기를 아버지여 내가 하늘과 아버지께 죄
를 얻었사오니, 지금부터는 아버지의 아들이라 일컬음을 감당치 못하겠나이
다. 나를 품꾼의 하나로 보소서 하리라."고 결단한 것이다.

그리고 후에 아버지께로 돌아가서 실제로 그렇게 자신의 죄를 자백했다.
탕자가 부유한 아버지 집에 돌아간 것은 굶주려 죽게 됐으니 잘 먹고 잘 살
아 보자고 돌아간 것만은 아니다. 아버지께 자기 죄를 자백하고, 아버지의
아들이라 일컬음을 받을 만한 자격이 없으니 품꾼의 하나로 봐달라고 할 만
큼 낮아지고 겸손해진 마음으로 돌아간 것이다. 이것이 진정 하나님께서 기
뻐하시는 회개이다.

진정한 회개는 죄에 대한 자백과 함께 자신이 하나님의 구원을 받을 만한
자격이 없는 죄인이라는 것을 인정하는 겸손이 포함되어야 한다. 이런 마음
을 가지고 죄를 자백할 때 우리의 죄를 사하시는 하나님의 권위가 발동한다.

[요일 1:8-10] 만일 우리가 죄 없다하면 스스로 속이고 또 진리가 우리
속에 있지 아니할 것이요, 만일 우리가 우리 죄를 자백 하면 저는 미쁘시고
의로우사 우리 죄를 사하시며 모든 불의에서 우리를 깨끗케 하실 것이요,

> 만일 우리가 범죄하지 아니하였다 하면 하나님을 거짓말 하는 자로 만드는 것이니 또한 그의 말씀이 우리 속에 있지 아니하니라

여기서 '자백'은 원어의 '호모로게오'로 같은 것을 말한다는 뜻이다. 그래서 '죄를 자백하면'이라는 말은 '죄에 대하여 하나님과 같은 말을 하면'이라는 뜻이다. 우리가 진심으로 회개하는 마음으로 하나님 앞에 엎드려 "나는 죄인입니다."라고 인정하면, 우리의 죄들이 떠오르고 하나님께서는 "네가 이런 죄를 지었지?"라고 말씀하신다. 그때 "예, 그렇습니다. 제가 그런 죄를 지었습니다."라고 말하는 것이 곧 자백이다. 그러나 "내가 그런 죄를 지은 것은 그럴만한 사정이 있었습니다. 당시 환경이…, 그 사람이 나를…." 등의 말은 자백이 아니고 변명이다. 어떤 사람은 많은 죄가 떠오르고 어떤 사람은 그렇지 않을 수도 있다. 그러나 하나님 앞에 죄인임을 인정하고 용서를 구하면서 떠오르는 죄에 대하여 하나님과 같은 말을 하면, 하나님은 자백한 죄를 사하여 주실 뿐 아니라 떠오르지 않아 자백하지 못하는 모든 불의에서도 우리를 깨끗하게 하신다니 참으로 놀라운 축복이 아닐 수 없다.

여기서 모든 불의는 하나님 보시기에 옳지 않은 모든 죄를 의미하며, 과거와 현재와 세상을 떠날 때까지 지을 죄까지도 의미하는 것이 분명하다. 예수님의 십자가 대속의 역사는 시간에 제한을 받지 않고 영원까지 유효하기 때문이다. 만일 위의 성경 말씀에서 '모든 불의'가 모든 죄를 의미하지 않는다면 어떻게 될까? 우리가 무의식 가운데 짓고 잊어버린 과거와 현재와 미래의 모든 죄는 자백할 수가 없다. 그렇게 되면 죄를 자백해도 여전히 모든 사람은 하나님 앞에 죄인이며 결국 구원을 받지 못 하게 된다. 따라서 하나님의 구원은 세상을 떠나는 순간까지 생각나지 않는 죄까지 모두 자백해야 구원을 받는다는 모순적인 구원이 된다. 이러한 구원은 하나님의 본 의도와 전혀 맞지 않는다. 하나님의 구원은 영원 전부터 하나님께서 가지셨던 '그 기뻐하시는 뜻'에 의하여 그리스도 예수 안에서 거저 베풀어 주시는 호의,

즉 은혜에서부터 시작되었기 때문이다. 하나님은 어찌하든지 우리를 구원하고 싶어 하시지 멸망하기를 원치 않으신다. 그러므로 우리가 우리의 죄를 자백하면 하나님께서는 예수님의 영원한 대속의 효력에 의하여, 우리의 과거와 현재와 미래의 모든 죄를 우리의 기억 유무에 관계없이 모두 용서해 주신다. 이렇게 죄를 다 용서해 주시고, "너는 이제 아무 죄도 없다."라고 하시는 하나님의 최종 판결, 즉 무죄 선언이 영원한 천국과 이 땅에 선포된다. 실로 감격스럽고도 놀라운 하나님의 구원이다.

그러면 어떤 사람은 '한번 회개한 사람은 계속해서 마음 놓고 또 죄를 지어도 괜찮겠네!' 이렇게 생각할 수도 있다. 이러한 생각은 '한 번 구원받았으면 그 후에는 아무렇게나 살아도 된다.'는 잘못을 범할 수 있게 하는 아주 위험한 생각이다. 이 질문은 잠시 후에 '구원받은 자의 축복'에서 좀 더 구체적으로 다룰 것이다.

그러므로 회개란 자기 멋대로 인생을 살다가 그 길이 잘못된 길이라는 것을 깨닫고 하나님께로 돌아와, 죄를 자백하여 용서함을 받고 영원토록 하나님과 함께 사는 것을 의미한다. 하나님을 떠나 세상으로 다시 돌아가면 그것은 진정한 회개가 아니다.

하나님께서 주시는 구원을 받고자 하는 사람은 "회개하라 천국이 가까왔느니라." 하신 예수님의 말씀을 따라 무엇보다 먼저 회개해야 한다. 회개는 하나님께서 어찌하실 수 없는 사람의 몫이다.

시인

> [마 10:32-33] 누구든지 사람 앞에서 나를 시인하면 나도 하늘에 계신 내 아버지 앞에서 저를 시인할 것이요, 누구든지 사람 앞에서 나를 부인하면 나도 하늘에 계신 내 아버지 앞에서 저를 부인하리라

이 말씀은 예수님께서 열두 제자들을 택하시고 그들을 각 고을로 전도

하러 보내면서 하신 말씀이다. 제자들이 나가서 복음을 전하며 예수님을 증거할 때, 누구든지 제자들의 말을 듣고 사람들 앞에서 예수님을 시인하면 예수님도 나중에 하나님 앞에서 그 사람을 시인하실 것이고 부인하면 예수님도 부인하실 것이라고 하셨다.

여기서 '시인'이라는 말은 조금 전에 살펴보았던 '자백'과 똑같은 '호모로게오'로서 '똑같이 말한다.'는 뜻이다. 그래서 '사람들 앞에서 나를 시인하면'이라는 말은 '사람들 앞에서 나와 똑같이 말하면'이라는 뜻이다.

예수님께서 "나는 하나님의 독생자다."라고 하시면 사람들 앞에서 똑같이 "예수님은 하나님의 독생자이시다."라고 말하는 것이, 예수님을 하나님의 독생자라고 시인하는 것이다. 예수님께서 "나는 죄인들을 구원하기 위하여 온 하나님의 아들이다."라고 하시면, 사람들 앞에서 똑같이 "예수님은 죄인들을 구원하시기 위하여 오신 하나님의 아들이시다."라고 말하는 것이 바로 예수님이 죄인들을 구원하시기 위하여 오신 하나님의 아들이심을 시인하는 것이다.

이렇게 우리가 사람들 앞에서 예수님과 똑같이 말하면, 나중에 예수님도 우리와 똑같이 말씀하시겠다는 뜻이다. 그때 우리가 "예수님은 나의 주님이십니다."라고 말하면, 예수님께서도 우리말과 똑같은 내용으로 "내가 저 사람의 주가 되었습니다."라고 말씀해 주신다는 것이다. 그러므로 우리가 사람들 앞에서 말로 예수님을 시인하는 것은 참으로 중요하다.

또한, 우리가 예수님을 어떻게 시인하느냐에 따라서 예수님과의 관계가 설정된다. 예수님을 성현 군자 중에 한 분이라고 시인하면 그분의 가르침을 따라도 좋고 안 따라도 별일 없다. 이런 사람들은 예수님과는 아무런 관계도 없고 하나님의 구원과도 아무런 관계가 없다. 왜냐하면, 예수님은 성현군자 중에 한 분이 아니시기 때문이다.

그러나 예수님을 주님으로 시인하면 예수님과 주종 관계가 되고 이는 절대적인 순종이 요구된다. 성경에서 말하는 예수님과의 주종 관계는 세상의 악하고 이기적인 주종 관계가 아니다. 주인이 종들의 발을 씻기며 그들을 위하여 목숨을 버리는 희생적인 사랑으로 종들을 사랑하고, 좋은 진심으로 주인을 사랑하고 섬기며 신뢰하는 아름다운 관계를 의미한다. 이러한 사랑의 주종 관계를 통해 우리는 예수 그리스도 안에 있는 하나님의 구원을 받게 된다. 그러므로 바울 사도는 이렇게 말씀하셨다.

[롬 10:8-13] 그러면 무엇을 말하느뇨 말씀이 네게 가까와 네 입에 있으며 네 마음에 있다 하였으니 곧 우리가 전파하는 믿음의 말씀이라, 네가 만일 네 입으로 예수를 주로 시인하며 또 하나님께서 그를 죽은 자 가운데서 살리신 것을 네 마음에 믿으면 구원을 얻으리니, 사람이 마음으로 믿어 의에 이르고 입으로 시인하여 구원에 이르느니라

하나님의 구원을 받기 위해서는 예수님을 주님으로 시인하고 예수님과 주종 관계가 반드시 설정되어야 한다.

영접

[요 1:1-14] 태초에 말씀이 계시니라 이 말씀이 하나님과 함께 계셨으니 이 말씀은 곧 하나님이시니라… 그 안에 생명이 있었으니 이 생명은 사람들의 빛이라… 참 빛 곧 세상에 와서 각 사람에게 비취는 빛이 있었나니, 그가 세상에 계셨으며 세상은 그로 말미암아 지은 바 되었으되 세상이 그를 알지 못하였고, 자기 땅에 오매 자기 백성이 영접지 아니하였으나, 영접하는 자 곧 그 이름을 믿는 자들에게는 하나님의 자녀가 되는 권세를 주셨으니, 이는 혈통으로나 육정으로나 사람의 뜻으로 나지 아니하고 오직 하나님께로서 난 자들이니라, 말씀이 육신이 되어 우리 가운데 거하시매 우리가 그 영광을 보니 아버지의 독생자의 영광이요 은혜와 진리가 충만하더라

이 말씀은 요한복음의 시작으로 모세는 "태초에 하나님이 천지를 창조하시니라."로 시작했지만, 요한 사도는 천지창조보다도 훨씬 이전의 "태

초에 말씀이 계시니라… 이 말씀은 곧 하나님이시니라… 세상은 그로 말미암아 지은 바 되었으되"로 시작했다. 여기서 '말씀'은 원어의 '로고스'로 '말'이라는 뜻이다.

요한 사도가 '로고스'로 서두를 시작한 것은 당시의 '로고스'가 만물을 실존케 하는 주체라고 생각했던 이방 세계의 철학 사조에 대하여, '로고스'가 바로 내가 증거하고자 하는 하나님이시라는 것을 알리기 위한 것으로 일반적으로 믿고 있다.

요한 사도는 로고스 안에 생명이 있었고 그 생명은 사람들의 빛이시며, 우주 만물이 그로 인하여 창조되었다고 했다. 사람도 그로 인하여 지음을 받았고 그가 '참 빛' 곧 '지극히 영광스럽고 은혜와 진리가 충만한 하나님의 독생자 예수 그리스도'로 이 세상에 오셨지만 사람들이 그를 알아보지 못했다고 했다. 그러나 "이제 예수님을 영접하는 자 곧 그 이름을 믿는 자들에게는 하나님의 자녀가 되는 권세를 주셨다."고 했다.

여기서 '영접'이란 원어의 '람바노'로서 '환영하고 받아들인다.'는 뜻이다. '그 이름'은 '예수'이며, 그 의미는 '자기 백성을 저희 죄에서 구원할 자' 즉 '구원자'라는 것은 이미 설명했다. 그러므로 '영접하는 자 곧 그 이름을 믿는 자들'이라는 말은, '예수님을 환영하고 받아들이며 예수님이 구원의 주가 되심을 믿는 자들'이라는 뜻이다. 이와 같은 사람들에게 하나님께서 '하나님의 자녀가 되는 권세'를 주신다는 것이다.

여기서 '권세'란 원어의 '엑수시아'로 '권위, 권세, 권리'라는 뜻이다. '하나님의 자녀가 되는 권세를 주셨다.'는 말은 사람은 세상에 태어나면서부터 하나님의 자녀로 태어난 것이 아니어서, 원래는 하나님 자녀로서의 권세가 없었지만 이제 권세를 주신다는 말씀이다. 그래서 예수님을 영접하는 자들은 하나님의 자녀로서의 모든 권세를 행할 수 있다는 말씀이다.

이는 '벤허' 영화에 나오는 로마 해군 제독 '아리우스'처럼 큰 권세와 많은 재산을 가진 사람이, '유다 벤허'같은 노예를 사서 자유인으로 만들고 자기의 양자를 삼아 벤허에게 자기의 죽은 친아들과 똑같은 권한과 권세를 주었던 것과 같은 원리다. 이처럼 전에는 죄인이었고 사망의 권세 아래 있었던 사람이었지만 예수님을 믿고 영접하면 하나님의 양자가 된다는 것이다.

이렇게 예수님을 영접하여 하나님의 자녀가 된 사람들은 '혈통으로나 육정으로나 사람의 뜻으로 나지 아니하고 오직 하나님께로서 난 자들'이 된 것이다. 그리하여 하나님을 아바 아버지로 부를 수 있게 되었고, 하나님의 자녀로서 그리스도와 함께한 후사가 되어 그리스도와 함께 영광을 받게 된 것이다. 그래서 바울 사도는 "무릇 하나님의 영으로 인도함을 받는 그들은 곧 하나님의 아들이라, 너희는 다시 무서워하는 종의 영을 받지 아니하였고 양자의 영을 받았으므로 아바 아버지라 부르짖느니라, 성령이 친히 우리 영으로 더불어 우리가 하나님의 자녀인 것을 증거하시나니, 자녀이면 또한 후사 곧 하나님의 후사요 그리스도와 함께 한 후사니 우리가 그와 함께 영광을 받기 위하여 고난도 함께 받아야 될 것이니라, 생각건대 현재의 고난은 장차 우리에게 나타날 영광과 족히 비교할 수 없도다."[롬 8:14-18]라고 하셨다.

이 영접에 대하여 성경은 계시록 3장 20절에 좀 더 구체적으로 말씀해 주셨다.

> [계 3:20] 볼지어다 내가 문밖에 서서 두드리노니 누구든지 내 음성을 듣고 문을 열면 내가 그에게로 들어가 그로 더불어 먹고 그는 나로 더불어 먹으리라.

'내가 문밖에 서서 두드리노니'에서 '내가'는 요한 계시록 1장부터 살펴보면 예수님이심을 쉽게 알 수 있다. 요한 사도가 계시록을 기록할 때는 예수님께서 부활 승천하신 후였으므로 여기서 '내가'는 영이신 예수님이시다. 또한, '문'은 마음의 문을 의미하신 것으로 마음의 문을 여닫는 것은 영혼의 결정이고 보면, 이 말씀은 사람과 예수님과의 영적 관계 형성을 의미한다.

예수님을 믿는 사람과 예수님과의 구체적인 영적 관계는, 마음 문을 열고 영이신 예수님을 환영하고 주님으로 모셔야 이루어진다. 우리가 마음 문을 열고 예수님을 주님으로 영접하면 예수님의 영이 우리 몸 안에 실제로 들어오셔서, 우리의 영혼과 함께 영원히 거하시며 교제하신다. 성경에서 함께 먹는다는 말은 친한 친구와 먹고 마시는 사랑의 교제를 의미한다.

뿐만 아니라 이렇게 마음 문을 열고 예수님을 영접한 사람들은, 그들의 몸 안에 거하시는 예수님의 영 때문에 생명이 있게 된다고 성경은 말한다.

> [요일 5:11-12] 또 증거는 이것이니 하나님이 우리에게 영생을 주신 것과 이 생명이 그의 아들 안에 있는 그것이니라, 아들이 있는 자에게는 생명이 있고 하나님의 아들이 없는 자에게는 생명이 없느니라.

이 말씀은 영원한 생명이 하나님의 아들 안에 있기 때문에, 누구든지 하나님의 아들을 몸 안에 모시고 있는 사람들은 하나님의 아들과 똑같은 영원한 생명이 있다는 말씀이다. 이 같은 역사는 오직 영으로만 되고 예수님의 영을 마음에 모셔야 이루어진다. 이렇게 예수님의 영을 영접한 사람들은 그 안에 예수님의 영원한 생명이 있으며, 예수님의 영으로 인하여 예수님 영광의 몸의 형체와 같은 형체로 부활한다고 성경은 말씀하신다.

> [롬 8:9-11] 만일 너희 속에 하나님의 영이 거하시면 너희가 육신에 있지 아니하고 영에 있나니 누구든지 그리스도의 영이 없으면 그리스도의 사람이 아니라, 또 그리스도께서 너희 안에 계시면 몸은 죄로 인하여 죽은 것이나 영은 의를 인하여 산 것이니라, 예수를 죽은 자 가운데서 살리신 이의 영이 너희 안에 거하시면 그리스도 예수를 죽은 자 가운데서 살리신 이가 너희 안에 거하시는 그의 영으로 말미암아 너희 죽을 몸도 살리시리라.

우리가 비록 세상에 태어나면서부터 어쩔 수 없이 죄인이 되었을지라도, 회개하고 하나님께로 돌아와 예수님을 주님으로 시인하고 마음 문을 열어 구원의 주님으로 영접하면 영생을 얻는다. 우리의 죽을 몸도 예수님 영광의 몸의 형체와 같이 부활하고, 하나님의 자녀 즉 하나님의 백성이 되어 하나님과 함께 새 하늘과 새 땅에서 영생 복락을 누리는 구원을 받는다. 이 세 가지 행동으로 하나님께서 주시는 구원을 선물로 받을 수 있는데, 이 세 가지 행동은 누구나 원하면 할 수 있다. 이것은 구원을 선물로 받는 어떠한 형태의 행동에서도 빠져서는 안 되는 중요한 요소이다.

5. 하나님의 구원을 받은 자의 축복

결코 정죄함이 없는 죄에서의 해방

> [롬 8:1-2] 그러므로 이제 그리스도 예수 안에 있는 자에게는 결코 정죄함이 없나니, 이는 그리스도 예수 안에 있는 생명의 성령의 법이 죄와 사망의 법에서 너를 해방하였음이라

여기서 '그리스도 예수 안에 있는 자'란 곧 예수 믿고 구원받은 사람들을 가리키며, 그들에게는 결코 '정죄함'이 없다는 말씀이다. 여기서 '정죄함'이란 원어의 '카타크리마'로 '형벌이 뒤따르는 죄에 대한 언도'라는 뜻이다. 죄에 대한 언도로만 끝나는 것이 아니라 반드시 사망의 형벌이 뒤따르는 두려운 언도이다.

그러나 예수 믿고 구원받은 사람들은 아예 재판이나 죄에 대한 언도조차도 결코 없다는 말씀이다. 그리스도 예수 안에 있는 생명의 성령의 법이 죄와 사망의 법에서 그들을 해방시켰기 때문이다.

지금까지 살펴본 바와 같이 사람이 죄를 범하면 그 결과는 사망이다. 이것이 죄와 사망의 법으로 반드시 그렇게 되기 때문에 법이다. 그러나 그리

스도 예수 안에 있는 자들 즉 예수 믿고 구원받은 사람들은 그들의 모든 죄를 예수님께서 대속하셨기 때문에, 이미 모든 죄를 사함 받았고 그 몸 안에 성령 즉 그리스도의 영이 들어와 영원히 거하시므로 이미 영생을 얻었기 때문에 죄와는 무관하게 되었다. 이것이 생명의 성령의 법이다. 그러므로 바울 사도는 그리스도 예수 안에 있는 자들에게는 결코 정죄함이 없다고 선포한 것이다. 과거와 현재와 미래의 모든 죄와 사망의 권세로부터 완전히 자유롭게 된 것이다. 이것이 "그리스도 예수 안에 있는 생명의 성령의 법이 너를 해방하였음이라."는 뜻이다.

그러면 전에도 언급했듯이 "이제는 마음 놓고 죄를 지어도 괜찮겠네!"라고 생각하는 사람들이 있을 수 있다. 이런 사람들을 향하여 바울 사도는 "죄에 대하여 죽은 우리가 어찌 그 가운데 더 살리요?"[로마서 6:1]라며 강력하게 아니라고 말씀하셨다.

이 말씀은 예수 믿고 구원받은 사람들은 죄가 싫어서 죄를 떠나 예수님 앞에 나와 회개하고 예수님을 주님으로 시인하고 영접한 사람들이다. 그런데 어찌 정죄함이 없다고 마음 놓고 죄를 지으며 죄를 즐길 수 있겠느냐는 말씀이다. 만일 어떤 사람이 구원받은 사람처럼 말하되 죄짓기를 즐겨한다면 그 사람은 거짓말쟁이며 정말 구원받은 사람이 아니라는 말씀이다.

그리스도 예수 안에 있는 자들에게 주어지는 결코 정죄함이 없는 자유는 실로 대단한 축복 중의 축복이다. 하나님께서는 예수 믿는 사람들에게 이 놀라운 축복을 주시는 것으로 끝내지 않으시고 영생까지 보장해 주셨다.

보장된 영생

> [요 5:24] 내가 진실로 진실로 너희에게 이르노니 내 말을 듣고 또 나 보내신 이를 믿는 자는 영생을 얻었고 심판에 이르지 아니하나니 사망에서 생명으로 옮겼느니라

여기서 '진실로 진실로'는 원어의 '아민 아민'으로 '진실로, 또는 그렇다'는 뜻의 긍정적인 반응의 표현이다. 한국말로는 '아멘'으로도 번역되었으며 기도 후에 '아멘'도 역시 긍정적으로 동의한다는 뜻이다. 예수님께서 '진실로 진실로'를 거듭하여 강조하신 것은 그 내용이 너무나 중요하기 때문이었을 것이다.

이 말씀에 의하면 예수님의 말씀을 듣고 또 예수님을 보내신 하나님 아버지를 믿는 자들, 즉 구원받은 자들에게는 세 가지 놀라운 역사가 일어난다.

첫째는 '영생을 얻었고'이다. 여기서 '얻었고'는 원어의 '엑세이'로 지금 얻어서 가지고 있다는 뜻으로, 예수님을 믿고 구원받는 그 순간 즉시 영생을 얻었고 계속 지니고 있다는 말씀이다.

둘째는 '심판에 이르지 아니 하나니'이다. 이 말은 죄에 대한 재판조차도 없다는 말씀이다.

셋째는 '사망에서 생명으로 옮겼느니라.'이다. '옮겼느니라.'는 원어로 '메타베비켄'으로 옮겨졌고 계속 옮겨진 상태로 있다는 뜻이다.

그러므로 예수 믿고 구원받은 사람들이 갖게 되는 영생은 믿는 순간부터 즉시 시작되어 영원히 계속되며, 이와 같은 사람들에게는 죄에 대한 심판도 없고 이미 사망에서 생명으로 옮겨진 상태에 있게 된다. 이것은 예수님을 주님으로 영접하는 순간에 모두 이루어지는 것으로 구원은 받았다 잃었다 하는 것이 아니다. 구원받은 사람은 예수님께서 보장하시는 결코 잃어버릴 수 없는 영원한 생명을 소유하게 된다. 이는 마치 이 씨 집안에 태어난 자녀들이 평생 이 씨로 살고 이 씨 족보에 영원히 기록되는 것과 마찬가지 원리이다. 예수님께서는 이 사실을 거듭 강조하셨다.

> [요 10:27-29] 내 양은 내 음성을 들으며 나는 저희를 알며 저희는 나를 따르느니라, 내가 저희에게 영생을 주노니 영원히 멸망치 아니할 터이요 또 저희를 내 손에서 빼앗을 자가 없느니라, 저희를 주신 내 아버지는 만유보다 크시매 아무도 아버지 손에서 빼앗을 수 없느니라

하나님이 사랑하시는 하나님의 자녀, 하늘나라 시민,
하나님의 백성이 됨

1. 하나님의 자녀가 됨

[요 1:12-13] 영접하는 자 곧 그 이름을 믿는 자들에게는 하나님의 자녀
가 되는 권세를 주셨으니, 이는 혈통으로나 육정으로나 사람의 뜻으로 나
지 아니하고 오직 하나님께로서 난 자들이니라

2. 하늘나라 시민이 됨

[빌 3:20-21] 오직 우리의 시민권은 하늘에 있는지라 거기로서 구원하는
자 곧 주 예수 그리스도를 기다리노니, 그가 만물을 자기에게 복종케 하실
수 있는 자의 역사로 우리의 낮은 몸을 자기 영광의 몸의 형체와 같이 변케
하시리라

3. 하나님의 백성이 됨

[계 21:1-4] 또 내가 새 하늘과 새 땅을 보니 처음 하늘과 처음 땅이 없어
졌고 바다도 다시 있지 않더라, 또 내가 보매 거룩한 성 새 예루살렘이 하
나님께로부터 하늘에서 내려오니 그 예비한 것이 신부가 남편을 위하여 단
장한 것 같더라, 내가 들으니 보좌에서 큰 음성이 나서 가로되 보라 하나님
의 장막이 사람들과 함께 있으매 하나님이 저희와 함께 거하시리니 저희는
하나님의 백성이 되고 하나님은 친히 저희와 함께 계셔서, 모든 눈물을 그
눈에서 씻기시매 다시 사망이 없고 애통하는 것이나 곡하는 것이나 아픈
것이 다시 있지 아니하리니 처음 것들이 다 지나갔음이러라

하나님이 끊을 수 없는 사랑으로 사랑하심

[롬 8:35-39] 누가 우리를 그리스도의 사랑에서 끊으리요 환난이나 곤고

> 나 핍박이나 기근이나 적신이나 위험이나 칼이랴…, 내가 확신하노니 사망
> 이나 생명이나 천사들이나 권세자들이나 현재 일이나 장래 일이나 능력이
> 나, 높음이나 깊음이나 다른 아무 피조물이라도 우리를 우리 주 그리스도
> 예수 안에 있는 하나님의 사랑에서 끊을 수 없으리라

위의 말씀은 바울 사도가 로마 교회에 보낸 서신의 전반부 결론이다. 바울 사도의 이 사랑의 선포는 사람의 모든 타락과 죄악상을 보면 마땅히 멸망을 받아야 함에도 불구하고, 독생자를 보내시고 믿음으로 구원받게 하신 하나님의 은혜와 사랑을 큰 감동과 감화 가운데 온 세상 만민을 향하여 소리 높여 선포하는 장엄한 선언문과 같다.

여기서 바울 사도는 두 가지 사랑, 즉 그리스도의 사랑과 하나님의 사랑을 말했다. 그리스도의 사랑은 십자가를 지신 사랑이요, 하나님의 사랑은 독생자를 십자가에 내어주신 사랑이다. 하나님 아버지의 독생자를 내어 주시는 사랑 없이는 예수님이 오실 수 없었고, 예수님의 십자가를 지시는 사랑이 없이는 하나님 아버지의 사랑이 이루어질 수 없었다. 하나님 아버지의 사랑과 독생자 예수 그리스도의 사랑이 십자가에서 연합하여 죄인을 구원하시는 하나님의 구원을 이루셨다. 이 두 사랑은 모두 말로는 이루 다 표현할 수 없는 극심한 아픔을 품은 사랑이다.

진정한 사랑에는 아픔이 있다. 아픔이 없는 사랑은 위선적이며 이기적이거나 사랑이 아닐 수도 있다. 아픔이 클수록 사랑이 기쁨으로 바뀔 때는 그 기쁨 또한 그만큼 크다. 그래서 한 영혼이 회개하고 하나님께로 돌아오면, 하나님께서는 하늘나라에 회개할 것 없는 의인 아흔아홉으로 인하여 기뻐하시는 것보다 더 기뻐하신다고 하셨다. 이 말은 반대로 한 영혼이 영영 회개하지 않고 멸망으로 가면, 그 영혼을 보시는 하나님의 아픔 또한, 더없이 쓰라린 아픔이 된다는 말씀이다. 그러므로 이렇게 회개하고 돌아온 사람들을 하나님의 자녀, 하늘나라 시민, 하나님의 백성으로 삼으시고, 어제도 오늘도 영원히

끊을 수 없는 변치 않는 사랑으로 사랑해 주시는 것은 너무나 당연하다.

그러므로 바울 사도는 "자기 아들을 아끼지 아니하시고 우리 모든 사람을 위하여 내어 주신 이가 어찌 그 아들과 함께 모든 것을 우리에게 은사로 주지 아니하시겠느뇨."[롬 8: 32]라고 확실하게 말씀하셨다. 여기서 '모든 것'은 이 세상을 살아가는 동안에 필요한 것들만 아니라 영원한 하늘나라에 속한 것까지도 포함하여 말씀하신 것이 분명하다. 또한, '은사'란 원어의 '거저 주시는 좋은 것'이라는 뜻이다. 예수 믿고 구원받아 끊을 수 없는 사랑받는 하나님의 자녀, 하나님의 백성이 된 것은 실로 크고 놀라운 축복이 아닐 수 없다.

예수님이 주시는 풍성한 생명

> [요 10:10] 도적이 오는 것은 도적질하고 죽이고 멸망시키려는 것뿐이요 내가 온 것은 양으로 생명을 얻게 하고 더 풍성히 얻게 하려는 것이라

여기서 '생명'은 원어의 '조이'라는 말로, '하나님 자신만이 그분 안에 가지고 계시고, 하나님만이 주실 수 있는, 모든 살아 있는 만물의 근원이 되는 것'이라는 뜻이다. 성경은 이 생명이 영원한 생명이며 하나님의 주권 아래 있음을 분명히 보여준다.

그러므로 예수님의 '양으로 생명을 얻게 하고 더 풍성히 얻게 하려는 것이라.'는 말씀은, 예수 믿는 사람들로 하여금 영생을 얻게 하되 영생만 얻어서 메마른 삶을 살지 않고 더욱 풍성한 삶을 살게 하려는 것이라는 말씀이다.

또한, '풍성하다.'는 원어의 '페리쎄이아'로 '측정치 도구에 넘치는 보통 그 이상'이라는 뜻이다. 누구든지 예수님을 믿으면 풍성한 생명을 얻어 자기 그릇에 넘치는 그 이상의 삶을 살게 된다는 뜻이다. 예수님의 제자들이 그랬다. 그들은 갈릴리 호수에서 어부로 살던 사람들이었으나 예수님의 부르심을 받고 따라나와 예수님의 제자들이 되었다. 그래서 그들은 자신들의 평범함을 초월

하여 당대에도 수많은 사람을 영생의 길로 인도했고, 복음을 기록하여 예수님께서 다시 오시는 그날까지 하늘의 별과 바닷가의 모래 같이 셀 수 없이 많은 사람을 생명의 길로 인도하는 영원히 빛나는 사람들이 되었다. 이 원리는 지금도 동일하게 역사하고 있다.

이것이 예수님께서 말씀하신 '양으로 생명을 얻게 하고 더 풍성히 얻게 하려는 것이라.'는 말씀이다. 예수 믿고 구원 받은 사람들은 이렇게 세상에서도 풍성한 삶을 살다가 천국에서 한없는 영생복락을 누리게 된다. 이는 실로 구원받은 사람들에게 베푸시는 심히 아름답고 향기나는 하나님의 영원한 축복이다.

하늘에 속한 모든 신령한 복

> [엡 1:3] 찬송하리로다 하나님 곧 우리 주 예수 그리스도의 아버지께서 그리스도 안에서 하늘에 속한 모든 신령한 복으로 우리에게 복 주시되

예수 믿는 사람들에게 하나님께서 주시는 궁극적인 축복은 그리스도 안에서 하늘에 속한 모든 신령한 복이다. 하나님의 구원이 그리스도 예수를 떠나서는 있을 수 없는 것과 마찬가지로 하늘에 속한 모든 신령한 복도 오직 그리스도 예수 안에서만 주어진다. '하늘에 속한'은 원어의 '에포우라니오스'로 '하나님께 속한'이라는 뜻이고 '신령한'은 '프뉴마티케이'로 '영적인 것'을 의미한다. 물론 모든 것이 다 하나님께 속해 있지만, 특히 '하늘에 속한 모든 신령한 복'은 하나님께 속한 모든 영적인 축복으로서 어마어마한 축복이다. 그러므로 그리스도 예수 안에 있는 하나님의 구원은 단순한 영생만이 아니라, 실로 크고 아름답고 장엄하며 상상을 초월하는 축복이다.

> [고전 2:9] 기록된바 하나님이 자기를 사랑하는 자들을 위하여 예비하신 모든 것은 눈으로 보지 못하고 귀로도 듣지 못하고 사람의 마음으로도 생각지 못하였다 함과 같으니라.

바울 사도의 이 말씀이 무슨 뜻인지 조금은 이해가 될 듯도 하다.

하나님의 몫과 사람의 몫

아담이 선악과를 따 먹고 하나님께 범죄했을 때 그는 선악과를 먹은 이유를, "하나님이 주셔서 나와 함께하게 하신 여자 그가 그 나무 실과를 내게 주므로 내가 먹었나이다."라고 하며 그 책임을 하나님께 돌렸다. 아담과 하와와 보이는 세계와 보이지 않는 세계의 모든 것을 지으신 이가 하나님이시기 때문에, 모든 존재를 존재하게 하시고 지음 받은 대로 행하게 하신 책임은 하나님 몫인 것은 분명하다.

그러나 이미 우리가 살펴보았듯이 선악과를 먹으면 죽으리라는 하나님의 경고를 무시하고, 잘못된 자유의지를 행사한 책임은 아담 자신에게 있었다. 그러므로 창조주는 창조주 몫의, 피조물은 피조물 몫의 책임이 있다.

이는 마치 부모와 자녀와의 관계에서 자녀를 낳은 것은 온전히 부모님의 결정이었기 때문에 부모님에게 책임이 있다. 하지만 자녀는 온전한 인격체로서 자유의지를 가지고 태어났기 때문에 자기 자유의지의 결정에 의한 것은 자녀의 책임이다. 이처럼 하나님과 사람과의 관계에서도 서로의 책임이 있다.

하나님 몫에 대한 책임은 하나님 자신이 스스로 십자가에 못 박혀 죽는 희생적인 사랑으로 그 대가를 지불하시고, 사람을 구원하시는 구원으로 철저하게 책임을 지셨다.

이제 사람은 사람의 몫에 해당하는 책임을 감당해야 한다. 그것은 예수님을 믿는 믿음으로 하나님의 구원을 받아들여야 한다. 이것이 사람의 몫에 해당하는 책임이다.

결론적으로, 예수님을 믿고 순종함으로 구원받은 사람들에게 주어진 하나님의 축복은 실로 형언할 수 없이 크고 놀랍고 존귀한 축복이다. 이 하나님의 축복을 받을 수 있는 기회는 이 세상에서 사람으로 살아가는 동안에만 하나님의 은혜로 주어진다. 이 복된 기회에 무관심하고 세상일에 몰두하거나, 거절하고 스쳐만 간다면 참으로 애석하고 안타깝기 짝이 없는 어리석은 일이다. 그러므로 우리는 이 세상에 살아 있는 동안에 겸손한 마음으로 하나님 앞에 나와, 모두 이 은혜의 축복을 받는 사람들이 되어야 한다.

6. 결단과 영접

사람은 하나님의 형상을 따라 하나님의 모양대로 지음을 받은 참으로 존귀한 피조물이다. 비록 아담과 하와가 죄를 범하여 모든 사람이 죄악 가운데 살며 영원한 멸망을 향해 가고 있지만, 이제 예수 그리스도 안에는 구원의 소망이 있다.

누구든지 예수님을 믿고 회개하며 죄를 자백하고, 예수님을 주님으로 시인하고 마음에 구주로 영접하면 구원을 받는다. 구원을 받을 수 있는 기회는 모든 사람에게 차별 없이 주어졌다. 그러나 구원은 개개인이 자기 스스로 받아들여야 한다. 아무리 하나님께서 자기의 하나밖에 없는 독생자를 대속물로 삼아, 사람들의 죄를 대속하며 구원하고자 하셔도 받아들이지 않으면 그들을 구원하실 수 없다. 또한, 다른 사람을 위하여 대신 받아 전해 주거나 다른 사람이 나를 대신하여 받아 줄 수도 없다. 이는 구원이란 각자가 하나님의 자녀가 되는 권세를 받아 하나님의 자녀로 신분이 바뀌고, 하나님의 자녀로 거듭나는, 즉 중생하는 영적 변화이기 때문이다.

그러므로 다가오는 멸망에서 구원을 받고자 하는 사람은 예수님을 믿는 믿음 위에 서서 회개하고, 예수님을 주님으로 시인하며 구주로 마음에 영접하여야 한다. 이 과정은 아래와 같은 영접기도로 이루어진다.

영접 기도

> 하나님, 저는 이 시간 예수님을 믿고 회개하며 하나님께로 돌아옵니다. 저

는 지금까지 살아오면서 많은 죄를 지었음을 자백합니다. 나의 모든 죄를 용서하여 주시옵소서. 이 시간 저는 예수님을 나의 주님으로 시인하며 나의 마음 문을 열고 예수님을 나의 구원의 주님으로 영접합니다. 내 마음속에 들어오셔서 나와 동거하시며 천국에 갈 때까지 나의 삶을 인도하여 주시옵소서. 이 시간 예수님께서 나의 죄를 대속하시고 용서하시며 영원한 생명을 주심을 믿고 감사합니다. 내가 심히 연약하오니, 내 인생 끝날까지 늘 하나님 말씀에 잘 순종하며 살아갈 수 있도록 도와주시옵소서. 예수님의 이름으로 기도하옵나이다. 아멘

영적인 것은 물질을 초월하기 때문에 감각으로 느낄 수는 없지만, 우리가 이렇게 기도하면 예수님은 실제로 우리의 마음에 그리스도의 영, 곧 성령으로 들어오셔서 우리의 몸 안에 거하신다. 그리고 우리의 영혼과 영원히 함께하시며 예수 안에 있는 생명으로 말미암아 영생하게 하시고 하나님의 자녀가 되게 하신다. 그러므로 이렇게 기도한 사람은 그 순간 하나님의 자녀가 되는 것이다.

저자의 간증

나는 대학교 일 학년 때 영어를 배울 목적으로 현재 죠이선교회가 된 죠이클럽이라는 대학생 영어 클럽에 나갔다. 이 클럽의 리더들은 모두 예수님을 잘 믿는 기독 학생들이었고 미국 선교사들이 와서 성경 말씀에 대한 해설도 해 주시는 유익한 클럽이었다. 영어 공부를 한 일 년쯤 열심히 했더니 나도 내 또래에 뒤지지 않을 정도로 어느 정도 영어를 할 수 있게 되었다.

여름 방학이 되자 클럽에서 불광동 기독교 수양관에서 수양회를 가진다고 했다. 궁금해서 만사를 제쳐 놓고 참석하고 보니, 좋은 강사님들의 말씀에다 오락 프로그램까지 있어서 유익하고 재미도 있었다. 어느덧 아쉬

운 마지막 날 저녁 시간이 됐고, 수양관을 운영하시는 선교사님이 정원의 아름다운 등불 아래 저녁 식사를 맛있는 양식으로 차려주셨다. 처음 맛보는 서양 음식이 하도 꿀맛이라 맛있게 먹고 있는데 선교사님이 오시더니, 오늘 저녁 식사 후에 예배가 있는데 나더러 간증을 하라고 하셨다. 나는 순간 그동안 갈고 닦은 내 영어 실력을 참석자들에게 자랑하고 싶은 욕심이 생겼다.

"목사님, 영어로 해도 되나요?"

"물론이지."

목사님은 빙그레 웃으며 흔쾌히 답하셨다.

나는 중간에 막히지 않고 멋있게 할 작정으로 수없이 간증을 되풀이하며 열심히 준비해 암송할 정도까지 됐다. 영어로 찬송가도 하나 준비한 후 몇 번이나 혼자 불러보았다. 식사 후 진행된 예배 시간 내내 나는 나의 간증 시간을 간절히 기다렸고, 드디어 내 순서라는 사회자의 말에 나는 즉시 단상에 올라 간증을 시작했다.

"I am so happy because I have Jesus in my heart. He is my Lord and my Savior."(나는 예수님을 나의 마음에 모시고 있어서 참으로 행복하다. 예수님은 나의 주님이시며 나의 구원자이시다.)라는 내용이었다. 그리고 찬송가 186장, '내 주의 보혈은 정하고 정하다.'를 영어로 찬송했다.

"I hear Thy welcome voice That calls me, Lord, to Thee. Wash me, cleanse me, in the blood that flowed on Calvary." 찬송이 끝나자 청중들의 "아멘!"하는 화답에 나는 만족했고, 참 잘했다는 생각에 기분이 매우 좋았다.

사회자는 마지막 광고를 하며 오늘은 예배 후에 잠시 쉬었다가 철야기도회를 할 테니 모두 참석해 달라고 부탁했다. 순간 나는 아찔했다.

"밤새 기도를 하다니…."

나는 새벽 기도는 좋아해도 밤새는 것은 힘들어서 철야 기도는 딱 질색이었다. 기도회에 들어가자니 내키지 않았고 안 들어가자니 간증까지 잘 해 놓고 안 들어갈 수 없어서 난처했다. 한동안 천막을 맴돌다가 할 수 없 이 등 떠밀리듯 들어갔더니, 천막 안에는 많은 학생이 선교사들과 함께 열 심히 기도하고 있었다. 나도 엎드려서 이것저것 생각나는 대로 기도를 하 고 찬송도 따라 했다.

간증 시간이 되자 JOY 회원 중에 한 사람이 나왔다. 대학을 졸업하 고 미국 대사관에서 일하는 회원인데 영어를 아주 잘했다. 'Youth For Christ'라는 중고등학생 선교 단체에서 열리는 토요 집회에서 선교사들의 설교 통역도 하는 분으로 나와 안면이 있는 사이였다. 그는 진심으로 눈물 어린 간증을 했다.

"저는 어려서부터 영락교회에 다녔습니다. 부모님은 영락교회 집사로 열심히 교회를 섬기는 분들이십니다. 저도 교회에 열심히 다니며 청년회 회장도 했지만, 구원의 확신은 없었습니다. 교회에서는 신실한 기독청년으 로 살았지만, 밖에 나가면 세상 사람들과 전혀 다름이 없었습니다. 그들과 똑같이 먹고 마셨고, 군대를 제대하고 선교사들과 일을 하면서도 그랬습니 다. 그러던 어느 날 YFC 집회에서 선교사님의 설교를 통역하는데, 선교사 님이 로마서 8장 1절의 말씀을 읽으시며 "그런즉 그리스도 예수 안에 있는 자에게는 결코 정죄함이 없느니라."하고 외쳤습니다. 저도 선교사님의 설 교를 통역하며 그대로 외쳤는데, 순간 그 말씀이 제 마음을 찔렀습니다. 그 말씀은 바로 저를 향한 말씀이었습니다. 선교사님은 계속해서 설교했습니 다. "이는 그리스도 예수 안에 있는 생명의 성령의 법이 죄와 사망의 법에 서 너를 해방하였음이니라." 저도 따라서 그대로 외쳤는데 이 말씀도 그대 로 저를 향한 말씀으로 들려왔습니다. 선교사님은 "그러므로 회개하고 예 수님을 주님으로 영접하여 죄 사함 받고 죄와 사망의 법에서 자유함을 받 으라."고 권면하셨고, 저도 같은 말씀으로 권면하고 기도를 한 후 집으로 돌아왔습니다. 그런데 그날 밤 저는 잠을 이룰 수가 없었습니다. 계속해서 설교 말씀이 떠오르고 제가 지은 죄들이 떠올라서, 저는 자리에서 일어나 방바닥에 무릎을 꿇고 엎드려 기도하기 시작했습니다. 제 죄들을 낱낱이 참회의 눈물을 흘리며 회개하면서 저는 그날 밤 예수님을 저의 주님으로 영접했습니다. 그리고 죄와 사망의 법에서 자유로워졌음을 믿음으로 받아들였습니다. 그때 제 마음에 전에 없던 한없는 평강과 기쁨을 느끼며, 그날 이후로 지금까지 저는 예수님과 함께 기쁨의 삶을 살고 있습니다."

그는 간증을 마치고는 제자리로 돌아갔는데, 나는 그의 간증이 꼭 내가 들으라는 간증처럼 느껴졌다. 나도 어려서부터 교회에 다니면서 성경을 배우고 찬송가도 배웠다. 중등부와 고등부 회장도 하고 이제는 대학생이 되었으나 나에게는 구원의 확신이 없었을 뿐만 아니라 예수님을 나의 주님으로 영접한 적도 전혀 없었다. 세상에 나가면 세상 사람들과 똑같이 어울려 살았으니 나도 죄가 많았다. 내가 아는 죄가 많았으니 잊어버린 죄는 더 많았을 것이다.

오늘 저녁 예배 시간에 했던 간증도 거짓 간증이다. 내가 언제 예수님을 나의 주님으로 내 마음에 영접했단 말인가? 내가 언제 한 시라도 행복하게 살아본 적이 있단 말인가? 집은 여전히 가난하고, 아버지와 어머니는 여전히 다투시며, 어린 동생들은 지금까지 고생하며 불행하게 살아가고 있다. 나는 매일 남의 집 애들에게 공부를 가르치면서 얻어먹고 살지 않으면 더는 공부를 할 수도, 살 수도 없는 처지인데 무엇이 그렇게 행복하다는 말인가? 다 거짓말이다. 모두 위선이다.

나의 마음이 무거워졌다. 간증에 이어 기도가 계속되었다. 시간이 지나자 여기저기서 우는 소리도 들리고, 소리 내서 기도하는 소리도 들렸다. 나는 아무리 기도를 하려고 해도 되지 않았다.

"너는 위선자다. 어떻게 그렇게 거짓 간증을 할 수가 있단 말이냐? 이 위선자야! 너도 회개나 해라." 괴로운 음성만이 내 마음을 파고들었다.

너무나 힘들고 괴로워서 끙끙 앓고 있는데, 평소에 친분이 있었던 선교사 한 분이 내게 다가와 내 등에 손을 얹고 기도하더니 내 귀에 대고 이렇게 속삭였다.

"이 형제, 회개하고 예수님을 주님으로 영접하세요. 요한 1서 1장 9절에 만일 우리가 우리 죄를 자백하면 저는 미쁘시고 의로우사 우리 죄를 사하시며 모든 불의에서 우리를 깨끗케 하실 것이요, 라고 했습니다. 그러므로 이 말씀을 믿고 회개하여 죄 사함을 받고 예수님을 구주로 영접하세요. 그리하면 영생을 얻고 하나님의 자녀로 거듭나서 중생한 새로운 피조물이 됩니다."

그 순간 나는 나도 알지 못하는 어떤 힘에 밀려 회개하기 시작했다. 그날 저녁에 했던 거짓 간증부터 회개했다.

"하나님, 오늘 저녁에 저는 제 마음속에 예수님도 없으면서 있다고 했고, 행복하지도 않으면서 행복하다고 거짓말했던 것을 용서해 주시옵소서."

그랬더니 연속해서 또 다른 죄가 생각났다. 나는 또 회개했다. 서너 가지 죄를 회개하고 나니 별안간 한없는 슬픔이 몰려오면서 통곡이 쏟아져 나왔다. 나는 억지로 울음을 참다가 더는 견딜 수가 없어 담요를 부둥켜안고 밖으로 뛰어나갔다.

수양관 개울가에 있는 널찍한 바위에 올라가 자리를 잡고 계속해서 기도했다. 통곡하며 회개했다. 죄들이 한없이 생각났다. 스무 살을 갓 넘긴 젊은이에게 웬 죄가 그렇게도 많은지, 회개를 해도 해도 끝나지 않았다. 계속 눈물이 쏟아졌다. 나는 울면서 회개하고 또 회개했다. 얼마나 지났을까, 사방은 조용한데 더는 죄가 생각나지 않았다.

"하나님, 이제 생각나지 않는 죄도 모두 회개하오니 예수님의 보혈로 깨끗하게 씻어 주시고, 저를 용서해 주시옵소서. 이제 제 모든 죄를 용서해 주신 것을 믿고 이제 예수님을 저의 주님으로 시인하고 구원의 주님으로 제 마음에 영접합니다. 제 마음 문을 여니 들어오시옵소서. 나의 주님이 되어 주시고 나를 구원하사 영생을 주시며 천국까지 인도해 주시옵소서. 믿습니다. 예수님의 이름으로 기도하옵나이다. 아멘." 나는 기도를 마쳤다.

마치 박하사탕을 먹고 난 듯 속이 시원하더니, 형언할 수 없는 기쁨과 평강이 내 마음에 차고 넘치며 찬송이 절로 나왔다.

"내 주의 보혈은 정하고 정하다. 내 죄를 정케 하신 주 날 오라 하신다. 내가 주께로 지금 가오니 골고다의 보혈로 날 씻어 주소서."

또다시 감격의 눈물이 걷잡을 수 없이 흘러내렸다. 담요를 벗으니 아침 해가 삼각산 봉우리 위에서 나를 반겨주었다. 산천초목이 모두 새로워 보였고, 청아한 새들의 노랫소리와 푸른 나무들도 모두 하나님을 찬양하는 것 같았다.

어느새 많은 사람이 아침 식사를 마치고 하산 예배를 드리러 강당으로 올라가고 있어서 나는 그들과 합류했다. 강당 가득 찬송이 울려 퍼지는데 찬송을 듣자니 또 눈물이 났다. 예배가 진행될수록 감동이 더욱 몰려왔다.

"지난밤 나는 거듭났다. 나는 죄 사함을 받은 새로운 피조물이 되었다."

생각만 해도 가슴이 벅차고 눈시울이 뜨거워졌다. 사회자가 하산하기 전에 마지막 간증 시간을 가질 테니 이번 수양회에서 받은 은혜를 함께 나누고 가자고 했다. 한 명, 두 명 줄이어 여러 명의 학생이 간증했는데 모두 은혜로운 간증이었다. 나도 벅찬 감격을 JOY 회원들과 나누고 싶었다. 좀 창피하기도 했지만, 용기를 내서 강단 위로 올라가서 고백했다.

"사랑하는 JOY 형제자매 여러분, 저는 사실 지난밤에 거듭났습니다. 어제저녁 식사 후에 했던 간증은 거짓 간증이었습니다."

모두 놀란 눈으로 나를 쳐다보았다. 나는 지나온 나의 삶과 지난밤에 일어났던 모든 일을 고백했다. 간증하는 동안 계속 눈물이 쏟아졌다. 하나님의 은혜가 내게 임한 것이었다.

이날은 결코 잊을 수 없는 내 영혼의 생일이요 결정적인 내 인생의 전환점이었다. 중생을 체험한 그날부터 나의 영혼과 육신의 삶은 변하기 시작하여 하루하루의 삶이 실로 기쁨으로 넘쳤다. 나는 교회에서 더욱 열심히 봉사하며 기도 생활과 성경공부, 개인전도 훈련, 성경 암송은 물론 제

자 훈련도 열심히 받았다. '종교생활'에서 '신앙생활'로 들어선 것이다

그 후 나는 대학을 졸업하고 미국에 유학하여 교수로 일하다가 하나님의 부르심을 받고 목사가 되었다. 지금은 은퇴했지만, 예수님을 나의 주님으로 영접하고 나서 지금까지 나의 삶은 하나님의 축복과 은혜가 넘치는 풍성한 삶으로 변했고, 이제 얼마 안 있어 세상을 떠나면 주님과 천국에서 영생복락으로 영원까지 이어지는 삶을 함께할 소망으로 기쁨 가운데 살고 있다. 오직 차고 넘치는 하나님의 은혜에 감사할 뿐이다.

간절한 권면

성경은 우리 사람의 삶에 대하여 이렇게 말씀하신다.

> [시 90:10-12] 우리의 연수가 칠십이요 강건하면 팔십이라도 그 연수의 자랑은 수고와 슬픔뿐이요 신속히 가니 우리가 날아가나이다, 누가 주의 노의 능력을 알며 누가 주를 두려워하여야 할 대로 주의 진노를 알리이까, 우리에게 우리 날 계수함을 가르치사 지혜의 마음을 얻게 하소서

> [벧전 1:24-25] 그러므로 모든 육체는 풀과 같고 그 모든 영광이 풀의 꽃과 같으니 풀은 마르고 꽃은 떨어지되, 오직 주의 말씀은 세세토록 있도다 하였으니 너희에게 전한 복음이 곧 이 말씀이니라

> [히 9:27] 한 번 죽는 것은 사람에게 정하신 것이요 그 후에는 심판이 있으리니

이 말씀들은 인생이 무엇인지 정확하게 설명해 주고 있다. 칠팔십 년을 살아도 쏜살같이 날아가는 것이 인생이요, 부귀영화 권세 공명을 모두 누리며 산다 해도 한 포기 풀과 같이 속절없이 시드는 것이 인생이다. 한 번 세상에 태어났으면 반드시 떠나야 한다.

이렇게 사람이 죽은 후에는 하나님의 심판이 있다고 성경은 경고한다.

이 경고는 영계에서 일어나고 있는 영적 현실이므로 결코 하나님의 심판을 받아서는 안 된다. 이를 모험하는 것은 너무나 위험해서 반드시 피할 길을 찾아야 한다.

지금까지 살펴본 바와 같이 그리스도 예수 안에 있는 하나님의 구원이, 바로 두렵고 떨리는 하나님의 심판을 피하는 유일하게 보증된 길이다. 뿐만 아니라 어마어마한 하늘나라의 신령한 축복을 받는 길이기도 하다. 신령한 하늘나라의 축복은 모든 사람이 꼭 받아야 하는 결코 놓쳐서는 안 되는 하나님 은혜의 축복이다. 그러므로 아직까지 예수님을 개인의 구주로 영접한 적이 없는 사람은, 지금 바로 만사를 제쳐 놓고 위에 적힌 '영접기도'로 간구하며 예수님을 꼭 개인의 구주로 받아들이길 바란다.

이렇게 예수님을 주님으로 영접한 사람은 자신의 선행이나 의에 의해서가 아니라, 하나님의 은혜와 언약에 의하여 구원받은 사람이 된 것이다. 이제 다음 차례는 세례나 침례를 받으면 된다. 다음의 뱁티스마(침례, 세례)에 대한 성경 말씀을 공부하고 속히 세례나 침례 받기를 권한다.

7. 뱁티스마(침례, 세례)

뱁티스마의 의미

> [롬 6:3-4] 무릇 그리스도 예수와 합하여 세례를 받은 우리는 그의 죽으심과 합하여 세례받은 줄을 알지 못하느뇨, 그러므로 우리가 그의 죽으심과 합하여 세례를 받음으로 그와 함께 장사되었나니 이는 아버지의 영광으로 말미암아 그리스도를 죽은 자 가운데서 살리심과 같이 우리로 또한 새 생명 가운데서 행하게 하려 함이니라

이 말씀 가운데 '세례'라는 말이 세 번 나오는데, 모두 원어의 '뱁티조'란 동사의 변형으로 명사형으로는 '뱁티스마'이다. 그래서 영어 성경에는 원

어의 발음을 따라 'baptism(뱁티즘)'으로 번역되었다. '침례'로 번역된 한국 성경도 있는데 세례나 침례나 모두 '뱁티스마'를 의미한다.

여기서 원어 '뱁티조'의 뜻은 '물감을 들일 때 옷을 물속에 담가 주무른다.'는 뜻으로 주로 쓰였다. 한국 성경의 '세례'는 '씻는 예식'이라는 뜻이 강하고 '침례'는 '담그는 예식'이라는 뜻이 강한데, 예수님 당시에 유대인들에게도 물로 깨끗하게 씻는 정결의식이 있었다. 그러나 이러한 의식을 의미할 때에는 '뱁티스마'가 아닌 '뱁티스모스'를 사용했다.

'뱁티스마'는 세례요한이 시작하여 예수님과 예수님의 제자들이 받았다. 이 '뱁티스마'는 단순히 물로 씻는다거나 물에 담그는 것보다 훨씬 더 깊은 의미가 있다.

위의 [롬 6:3-4]에서 바울 사도는 그 의미를 세 가지로 설명한다.

1. 그리스도 예수와 합하여 뱁티스마를 받은 우리는 그의 죽으심과 합하여 뱁티스마를 받았다. 즉 십자가에서 예수님과 함께 죽었다는 의미의 예식이다.

2. 그리스도와 함께 장사 되었다. 이는 세상과 죄를 향하여 그리스도와 함께 장사 되었다는 말이다. 즉 죽어 장사된 자와 같이 이 세상과 죄에 대하여 반응이 없는 사람이 되었다는 것을 의미하는 예식이다.

3. 예수님의 부활하신 것과 같이 이제 우리도 영으로 살아나 새 생명 가운데 살게 되었다는 것을 의미하는 예식이라는 말씀이다. 이제는 성령으로 인하여 새로운 피조물이 되어 하나님의 자녀로서 새 생명 가운데 사는 천국 백성이 되었다는 말이다.

그러므로 뱁티스마는 예수 믿고 구원받은 하나님의 자녀가 온 세상 사람들을 향하여, 이제 나는 그리스도와 함께 죽어 함께 장사 지낸 바 되었고 예수님의 부활과 같이 이제 옛사람은 죽고 새로운 피조물이 되어, 새 생명 가운데 예수님과 함께 사는 사람이 되었다는 것을 인정하고 선포하는 예식이다.

예수님께서 친히 세례를 받으심

> [마 3:13-17] 이 때에 예수께서 갈릴리로서 요단강에 이르러 요한에게 세례를 받으려 하신대, 요한이 말려 가로되 내가 당신에게 세례를 받아야 할 터인데 당신이 내게로 오시나이까, 예수께서 대답하여 가라사대 이제 허락하라 우리가 이와 같이하여 모든 의를 이루는 것이 합당하니라 하신대 이에 요한이 허락하는지라, 예수께서 세례를 받으시고 곧 물에서 올라 오실새 하늘이 열리고 하나님의 성령이 비둘기 같이 내려 자기 위에 임하심을 보시더니, 하늘로서 소리가 있어 말씀하시되 이는 내 사랑하는 아들이요 내 기뻐하는 자라 하시니라

이 말씀은 예수님께서 세례요한에게 요단강에서 뱁티스마를 받으실 때에 상황을 기록한 말씀이다. 여기서 16절의 '예수께서 세례를 받으시고 곧 물에서 올라오실새'라는 말의 원어의 뜻은 '물에 잠기었다가 물속 안에서 물 밖으로 올라오실 때에'라는 의미이다. 이것을 보면 예수님께서 받으신 뱁티스마는 분명히 물속에 잠겼다가 나온 것임을 알 수 있다.

예수님께서는 세례요한에게 뱁티스마를 받으신 후 곧이어서 성령에 이끌리어 광야로 나가 사십일을 금식하신 후, 사단의 시험을 이기시고 비로소 천국 복음을 전파하시며 가르치시고 모든 병약한 것을 치료하시는 공생애를 시작하셨다.

그리고 보면 예수님께서 세례요한에게 뱁티스마를 받으신 것은 예수님 공생애의 본격적인 시발점에서 행해진 예식이라고 할 수 있다. 이것은 당시 유대인들에게도 물로 씻는 정결의식이 있었지만, 세례요한이 요단강에서 '요한의 세례'를 시작하므로 구약의 율법 시대가 끝나고, 예수님의 새로운 은혜의 시대가 시작되는 것을 선포한 것과 같은 맥락이었음을 알 수 있다.

그러므로 예수 믿고 구원 받은 하나님의 자녀들이 새로운 삶을 시작하는 시점에서, 예수님을 본받아 뱁티스마를 받는 것은 너무나 당연하고 아름다

운 예식이다. 사랑하는 남녀가 결혼하여 둘이 하나 되어 사는 새로운 결혼 생활을 선포하는 결혼식처럼 심히 아름답고 의미 있는 영적 예식이다.

예수님께서 뱁티스마를 행하라고 명하심

> [마 28:18-20] 예수께서 나아와 일러 가라사대 하늘과 땅의 모든 권세를 내게 주셨으니, 그러므로 너희는 가서 모든 족속으로 제자를 삼아 아버지와 아들과 성령의 이름으로 세례를 주고, 내가 너희에게 분부한 모든 것을 가르쳐 지키게 하라 볼지어다 내가 세상 끝날까지 너희와 항상 함께 있으리라 하시니라

초대 교회가 뱁티스마를 행함

> [행 2:38-41] 베드로가 가로되 너희가 회개하여 각각 예수 그리스도의 이름으로 세례를 받고 죄 사함을 얻으라 그리하면 성령을 선물로 받으리니, 이 약속은 너희와 너희 자녀와 모든 먼데 사람 곧 주 우리 하나님이 얼마든지 부르시는 자들에게 하신 것이라 하고, 또 여러 말로 확증하며 권하여 가로되 너희가 이 패역한 세대에서 구원을 받으라 하니, 그 말을 받는 사람들은 세례를 받으매 이 날에 제자의 수가 삼천이나 더하더라

지금까지 뱁티스마에 관하여 살펴본 성경 말씀에 의하면, 모든 구원 받은 하나님의 자녀들은 미루지 말고 즉시 뱁티스마를 받아야 한다.

8. 구원의 파노라마

지금까지 그리스도 예수 안에 있는 하나님의 구원을 살펴보았다. 이 구원은 하나님께서 오직 자기의 기뻐하시는 뜻을 따라 영원한 때 전부터 그리스도 예수 안에서 우리에게 주신 은혜대로 하신 것이다. 우리의 모든 죄를 대속하시고 현재의 삶을 풍성하게 하시며, 이 세상에서의 삶이 끝나면 천국에서 하늘에 속한 모든 신령한 축복을 누리며 하나님의 은혜의 영광을 찬양하는 실로 장엄한 총체적 구원이다. 하지만 이 구원은 오직 예수님을 믿는 믿음으로만 받을 수 있다. 이에 대하여 왜? 라는 질문이 있을 수 있지만, 이는 제 4장에서 재고하기로 하고 하나님의 구원에 대해 총체적인 정리를 해 본다.

이루어진 구원(받은 구원)

하나님의 구원에서 모든 죄를 사함 받고 보장된 영생을 얻어 하나님의 자녀가 되고, 천국 시민, 즉 끊을 수 없는 하나님의 사랑을 받는 하나님의 백성이 된 것은, 예수님을 주님으로 영접하는 순간 이미 완성되었다. 하나님의 몫인 구원을 위하여 예수님께서 행하신 모든 일과, 사람의 몫인 예수님을 믿는 믿음의 순종이 온전히 연합하여 완전히 이루어진 것이다. 이에 대하여는 하나님도 사람도 더는 할 것이 전혀 없는 '이루어진 구원' 또는 이미 '받은 구원'이라고 할 수 있다.

이루어가는 구원(받는 구원)

'이루어진 구원'에 비하여 이 세상에서 사는 동안 그리스도 예수 안에서 풍성한 생명을 누리는 삶은 현재 진행 중이다. 진행 중인 풍성한 생명을 누릴 수 있도록 하나님께서는 성령님을 보내셔서, 예수님을 주님으로 영접하는 순간 우리 속에 들어와 영원히 거하시며 인도하시고 도와주신다. 이것은 어김없이 행하시는 하나님의 몫이다. 이러한 하나님의 몫에 우리의 몫인 믿음의 순종이 합하여 풍성한 생명의 삶을 이루게 된다. 이 원리를 바울 사도는 아래와 같이 말씀하셨다.

> [갈 5:16-26] 내가 이르노니 너희는 성령을 좇아 행하라 그리하면 육체의 욕심을 이루지 아니하리라. 육체의 소욕은 성령을 거스리고 성령의 소욕은 육체를 거스리나니 이 둘이 서로 대적함으로 너희의 원하는 것을 하지 못하게 하려 함이니라. 너희가 만일 성령의 인도하시는 바가 되면 율법 아래 있지 아니하리라. 육체의 일은 현저하니 곧 음행과 더러운 것과 호색과 우상 숭배와 술수와 원수를 맺는 것과 분쟁과 시기와 분냄과 당짓는 것과 분리함과 이단과, 투기와 술 취함과 방탕함과 또 그와 같은 것들이라 전에 너희에게 경계한 것같이 경계하노니 이런 일을 하는 자들은 하나님의 나라를 유업으로 받지 못할 것이요, 오직 성령의 열매는 사랑과 희락과 화평과 오래 참음과 자비와 양선과 충성과, 온유와 절제니 이같은 것을 금지할 법이 없느니라. 그리스도 예수의 사람들은 육체와 함께 그 정과 욕심을 십자가에 못 박았느니라. 만일 우리가 성령으로 살면 또한 성령으로 행할지니, 헛된 영광을 구하여 서로 격동하고 서로 투기하지 말지니라

이렇게 성령을 좇아 행하는 삶이 곧 그리스도인의 삶이요 이 세상에서 풍성한 삶을 누리는 하나님 구원의 축복이다. 얼마나 성령을 좇아 믿음으로 순종하느냐에 따라서 얼마나 풍성한 생명의 삶을 누리느냐가 결정된다. 이것은 자동적으로 주어지는 것이 아니다. 성령을 좇아 믿음으로 순종하는 순종은 누구나 할 수 있는 자유의지에 속한 것이기 때문이다. 늘 성령충만하여 성령님의 인도하심을 따라 순종하며 살아가는 사람들에게는, 사랑과 희락과 화평과 오래 참음과 자비와 양선과 충성과 온유와 절제와 같은 성령의 열매가 맺힌다. 이와 같은 열매를 맺는 삶을 음행과 더러운 것과 호색과 우상 숭배와 술수와 원수를 맺는 것과, 분쟁과 시기와 분냄과 당 짓는 것과 분리함과 이단과 투기와 술 취함과 방탕함 같은 추한 열매를 맺는 삶에 어찌 비할 수가 있을까!

이렇게 성령님의 인도하심을 따라 풍성한 삶을 이루어가는 것을 성경에서는 아래의 말씀처럼 '구원을 이룬다.'고 한다.

[빌 2:12-14] 그러므로 나의 사랑하는 자들아 너희가 나 있을 때뿐 아니라 더욱 지금 나 없을 때에도 항상 복종하여 두렵고 떨림으로 너희 구원을 이루라, 너희 안에서 행하시는 이는 하나님이시니 자기의 기쁘신 뜻을 위하여 너희로 소원을 두고 행하게 하시나니, 모든 일을 원망과 시비가 없이 하라

이것이 '이루어가는 구원' 즉, 현재 '받는 구원'이다.

천국에서 받는 상

지금까지 우리가 살펴본 '이루어진 구원'은 모든 하나님의 자녀들에게 이미 주어졌고 보장되었다. 이는 한 나라의 시민권을 갖게 되면 시민으로서 누릴 수 있는 권한과 축복이 자동으로 주어지는 것과 같은 원리다.

그러나 자동으로 주어지지 않는 특별한 것이 하나 있는데, 그것이 바로 하늘나라에서의 상과 이에 따르는 특별한 신분이다.

[고전 3:5-9] 그런즉 아볼로는 무엇이며 바울은 무엇이뇨 저희는 주께서 각각 주신 대로 너희로 하여금 믿게 한 사역자들이니라, 나는 심었고 아볼로는 물을 주었으되 오직 하나님은 자라나게 하셨나니, 그런즉 심는 이나 물 주는 이는 아무것도 아니로되 오직 자라나게 하시는 하나님뿐이니라, 심는 이와 물 주는 이가 일반이나 각각 자기의 일하는 대로 자기의 상을 받으리라, 우리는 하나님의 동역자들이요 너희는 하나님의 밭이요 하나님의 집이니라

[고전 3:10-15] 내게 주신 하나님의 은혜를 따라 내가 지혜로운 건축자와 같이 터를 닦아 두매 다른 이가 그 위에 세우나 그러나 각각 어떻게 그 위에 세우기를 조심할지니라, 이 닦아 둔 것 외에 능히 다른 터를 닦아 둘 자가 없으니 이 터는 곧 예수 그리스도라, 만일 누구든지 금이나 은이나 보석이나 나무나 풀이나 짚으로 이 터 위에 세우면, 각각 공력이 나타날 터인

데 그 날이 공력을 밝히리니 이는 불로 나타내고 그 불이 각 사람의 공력이
어떠한 것을 시험할 것임이니라, 만일 누구든지 그 위에 세운 공력이 그대
로 있으면 상을 받고, 누구든지 공력이 불타면 해를 받으리니 그러나 자기
는 구원을 얻되 불 가운데서 얻은 것 같으리라

여기서 '상'은 원어의 '미스도스'라는 말로 '일 한 것에 대하여 주는 보상'이
라는 뜻이다. 일 한 모든 사람에게 주는 노임과 같은 것이다.

하늘나라에서 주어지는 하나님의 상은 구원과는 달리 일 한 것에 따라 주
어진다. 구원은 아무도 스스로 이룰 수 없기 때문에 하나님께서 은혜를 베푸
셔서 우리가 예수님을 믿고 주님으로 영접하기만 하면 선물로 거저 주시지만,
하늘나라 상은 그렇지 않다. 하나님의 기쁘신 뜻을 이루는 천국 사역은 마음
만 먹으면 누구나 할 수 있기 때문이다. 바울 사도처럼 자신을 구원해 주신 하
나님의 은혜를 감사하며 천국 사역을 위하여 혼신을 다하고 죽기까지 충성한
사람과, 오로지 구원만 받고 하나님의 일을 할 수 있었음에도 불구하고 전혀
무관심했던 사람과 하나님께서 동일하게 상을 주신다면 이는 사람이 보아도
공평하지 않다. 의로우시고 공평하신 하나님께서 보실 때에는 더욱 그러실 것
같다. 그래서 하늘나라에서의 상 '미스도스'는 일 한 것에 따라서 주어진다.

그러므로 바울 사도는 자기는 심었고 아볼로는 물을 준 하나님의 동역자로
서, 각각 자기들이 한 일에 따라 상을 받을 것이라고 하며 다섯 번이나 '공력'
에 대해 말씀하셨다. '공력'은 원어의 '에르곤'이라는 말로 '일'이라는 뜻이다.

그러면 우리는 어떤 일을 어떻게 하여야 하나? 이에 대하여 바울 사도
는 이렇게 말씀하셨다.

[고전 15:58] 내 사랑하는 형제들아 견고하며 흔들리지 말며 항상 주의
일에 더욱 힘쓰는 자들이 되라 이는 너희 수고가 주 안에서 헛되지 않은 줄
을 앎이니라

이 말씀에서 '견고하며'라는 의미는 원어의 '좌정하다, 고정하다, 그래서 변덕이 없다.'는 뜻이다. 이는 마치 민들레 씨가 바람 부는 대로 날아다니다가 어느 한 곳에 자리를 잡고 뿌리를 내리면 꽃이 피고 또 씨를 맺듯이, 바람 부는 대로 물결치는 대로 밀려다니지 말고 중심을 가지고 자신의 교회를 섬기라는 말씀이다.

또한, '흔들리지 말며'라는 의미는 '움직이지 않는, 옮길 수 없는'이라는 뜻이다. 이는 마치 태산이 움직이지 않고 또 옮길 수도 없듯이, 그렇게 한번 교회를 정하고 사역을 정했으면 움직이지 말라는 말씀이다. 한 교회 한 사역에서 다른 교회나 다른 사역으로 옮기는 것은 주님께서 명하시고 허락하셔야만 할 수 있는 일이다. 주님의 명령이나 허락이 없이는 지금 섬기는 교회에서 지금 하고 있는 그 사역에 열심을 다하여 힘쓰다가 주님 앞에 가야 한다.

"주의 일에 더욱 힘쓰는 자가 되라."에서 '더욱 힘쓴다.'는 말은 '가득하게 한다.'는 뜻이다. 즉 주변에 가득하게 한다는 말이다. 그러므로 "주의 일에 더욱 힘쓰는 자가 되라."는 말씀은 삶의 주변을 돌아보면 보이는 것이 오직 주의 일만 보일 정도로, 그렇게 주님의 일로 주변을 가득하게 하도록 더욱 힘쓰는 사람이 되라는 말씀이다.

바울 사도는 주의 일에 힘쓰는 모든 수고가 주 안에서 결코 헛되지 않다는 것을 너무나 잘 알았기 때문이다. 세상에 속한 모든 것들과 세상을 위하여 행한 모든 것들은 세상을 떠날 때 모두 이 세상에 두고 간다. 그러나 바울 사도가 "생각건대 현재의 고난은 장차 우리에게 나타날 영광과 족히 비교할 수 없도다."[롬 8:18]라고 말씀하신 것처럼, 주의 일은 하늘나라의 영광스러운 상으로 이어지는 것이다. 주의 일로 말미암아 주어지는 지극히 영광스러운 이 상은, 아무리 수단 방법을 가리지 않고 수고하여 이루었다 하더라도 죽을 때는 세상에 버려두고 가야 하는, 헛된 세상의 부귀영화 권세 공명과는 도저히 비할 바가 안 된다는 말씀이다.

그러면 과연 주의 일은 무엇일까? 물론 주님과 관계되는 모든 일이 다 주의 일이다. 그러나 바울 사도가 말하는 주의 일은, 예수님께서 제자들에게 지상 명령으로 주신 모든 족속으로 제자 삼는 제자사역이 분명하다. 왜냐하면, 그리스도인의 삶은 그 자체가 제자의 삶이고 모든 족속으로 제자를 삼는 제자사역은 주님께서 주신 제자들의 사명으로, 바울 사도도 순교하기까지 이 제자사역에 힘썼기 때문이다. 제자사역의 첫 단계는 모든 족속에게로 가서 예수님의 증인이 되어 복음을 전하는 것이다. 한 영혼이 구원을 받아 하나님의 자녀가 되면 하나님께서 얼마나 기뻐하시는지 예수님은 이렇게 말씀하셨다.

[눅 15:7] 내가 너희에게 이르노니 이와 같이 죄인 하나가 회개하면 하늘에서는 회개할 것 없는 의인 아흔아홉을 인하여 기뻐하는 것보다 더하리라

이것이 바울 사도가 세 차례씩이나 이방인의 세계를 돌며 전도했던 이유이다.

그러면, 어떻게 하면 예수님의 증인이 되어 복음을 전할 수 있을까? 여러 가지 방법들이 있지만, 요한복음 1장에 기록된 바와 같이 예수님께서 쓰셨던 "와 보라."라는 방법이 좋다. 예수님께서 제자 안드레를 부르실 때 이 방법을 쓰셨고, 빌립이 나다나엘을 예수님께로 인도할 때도 이 방법을 썼다. 지금도 이 방법은 사람들을 교회로 인도할 수 있는 대단히 효과적인 방법이다.

또 한 가지 방법은 문서로 복음을 제시하는 것이다. 전도지를 사용할 수도 있고 본서를 보낼 수도 있다. 본서는 이러한 목적으로 출판되어 서점에서도 구입할 수 있으며, 또한, 뉴비전교회의 웹 사이트에서 얼마든지 무료로 내려 받을 수 있고 전자메일로 많은 사람에게 보낼 수도 있다. 어렵지 않은 전도방법이니 모든 독자가 애용하여 예수님의 증인이 되어 복음 전하는 일에 분발하길 바란다.

이 외에도 '전도폭발'이나 '사영리' 등 마음만 먹으면 전도 방법은 얼마든지 찾을 수 있다.

그러나 중요한 것은 주의 일을 하되 마지막 날 하나님의 불 시험에 통과해서 은이나 금같이 남아 있어야 한다. 그렇다면 그 방법은 무엇일까?

[고전 4:1-2] 사람이 마땅히 우리를 그리스도의 일꾼이요 하나님의 비밀을 맡은 자로 여길지어다 그리고 맡은 자들에게 구할 것은 충성이니라

이 말씀은 그리스도의 일꾼에게는 충성이 요구되며, 하나님의 일을 충성스럽게 한 결과가 바로 마지막 날 하나님의 불 시험을 통과하고 은이나 금같이 빛나게 된다는 말씀이다.

충성스러운 하나님의 일꾼은 하나님께서 맡기신 일이 어렵고 힘들어도, 아무도 알아주지 않아도, 욕을 먹고 핍박을 받아도 계속 그 일을 하는 사람이다. 이런 하나님의 자녀들을 위하여 예수님은 이렇게 말씀하셨다.

[계 2:10] 네가 죽도록 충성하라 그리하면 내가 생명의 면류관을 네게 주리라

여기서 '면류관'은 원어의 '스태파노스'라는 말로 '벽이나 사람으로 둘러싸인 것처럼 둘러싸는 것'을 의미하는 것은 이미 설명했으며, 영어 성경에는 '왕관'으로 번역되었다.

면류관은 면류관 자체만도 가치가 있겠지만, 더욱 중요한 것은 면류관과 함께 부여되는 권위와 신분이다. 왕관을 쓰면 왕의 권세를 얻고 왕의 신분이 나타난다. 당시 로마의 올림픽 경기에서 우승하여 면류관을 쓰게 되면 이에 대한 존경과 권위가 따라오는 존귀한 신분을 갖게 된다. 지상에 사는 우리로서는 면류관으로 표현된 하늘나라에서의 상이 실제로 어떠한 형태로 나타날지는 전혀 알 수 없지만, 면류관과 함께 주어지는 하늘나라에서의 모든 영광과 존귀와 권위와 신분은 하나님의 신비한 능력을 생각해 볼 때 상상만으로도 가슴이 벅차오른다.

이처럼 주의 일에 충성을 다하여 힘쓴 자들에게 주어지는 것이 하늘나라 상이다. 하늘나라 상은 하나님의 자녀들이 천국에서 누릴 영생복락의 중요한 부분으로, 하늘나라에서 주어지는 특별한 권위와 신분의 표시이다. 하나님께서는 하나님의 자녀들을 위해 하늘나라에 여러 가지 상(미스도스)을 준비해 놓으셨다.

핍박당한 자의 상

[마 5:11-12] 나를 인하여 너희를 욕하고 핍박하고 거짓으로 너희를 거스려 모든 악한 말을 할 때에는 너희에게 복이 있나니, 기뻐하고 즐거워하라 하늘에서 너희의 상이 큼이라 너희 전에 있던 선지자들을 이같이 핍박하였느니라

전도자의 상

[고전 9:1] 그런즉 내 상이 무엇이냐 내가 복음을 전할 때에 값없이 전하고 복음으로 인하여 내게 있는 권을 다 쓰지 아니하는 이것이로라

의의 면류관

[딤후 4:6-8] 관제와 같이 벌써 내가 부음이 되고 나의 떠날 기약이 가까웠도다, 내가 선한 싸움을 싸우고 나의 달려갈 길을 마치고 믿음을 지켰으니, 이제 후로는 나를 위하여 의의 면류관이 예비되었으므로 주 곧 의로우신 재판장이 그날에 내게 주실 것이니 내게만 아니라 주의 나타나심을 사모하는 모든 자에게니라

영광의 면류관

[벧전 5:1-4] 너희 중 장로들에게 권하노니 나는 함께 장로 된 자요 그리스도의 고난의 증인이요 나타날 영광에 참여할 자로라, 너희 중에 있는 하나

님의 양 무리를 치되 부득이함으로 하지 말고 오직 하나님의 뜻을 좇아 자원함으로 하며 더러운 이를 위하여 하지 말고 오직 즐거운 뜻으로 하며, 맡기운 자들에게 주장하는 자세를 하지 말고 오직 양 무리의 본이 되라, 그리하면 목자장이 나타나실 때에 시들지 아니하는 영광의 면류관을 얻으리라

생명의 면류관

[계 2:10] 네가 죽도록 충성하라 그리하면 내가 생명의 면류관을 네게 주리라

하나님께서 예비하신 많은 상을 생각해 볼 때 주의 일에 충성을 다하여 더욱 힘쓰는 사람은 참으로 지혜롭고 복된 사람이다. 이것이 예수님을 믿되 될 수 있는 대로 일찍 믿고, 언제 믿든지 상관없이 믿는 즉시 주의 일에 힘쓰되 더 많이 힘써야 하는 이유이다. 바울 사도는 예수님을 만난 즉시 죽음의 위협을 무릅쓰고 주변 사람들에게 예수는 그리스도라고 전도했다. 그리고 고난과 핍박을 무릅쓰고 한평생 복음을 전하다가 순교했다. 이것이 모든 믿는 사람들이 본 받아야 할 주의 일에 힘쓰는 모습이다.

하늘나라 상 꼭 받아야 하나?

멸망 받아야 마땅한 죄인이 하나님의 특별한 은혜로 말미암아 예수 믿고 구원받아 천국에서 영생복락을 누리는 것만 해도 우리가 영원히 감사해도 다 할 수 없는 축복이다. 천국에서의 영생은 자세히 계시되지 않았기에 잘 모르지만, 사람이 도저히 상상할 수 없는 최상의 행복한 삶, 즉 하나님이 누리시는 삶과 같은 삶인 것이 분명하다. 하나님의 자녀들이 하늘에 속한 모든 신령한 복을 누리며 사는 삶이기 때문이다. 그래서 그 이상 또 무엇을 바란다는 것은 지나친 인간적인 부끄러운 욕심같이 느껴진다. 더욱 상 같은 것을 바란다는 것은 말도 안 되고 염치없는 지나친 탐심 같다는 생각도 든다. 또한, "그리스도인이 주의 일에 힘쓰는 것은 우리에게 베

푸신 하나님의 은혜와 사랑에 감사하여 섬김으로 봉사하며 하나님을 기쁘
시게 하는 자가 되기 위하여 하는 것이지, 무슨 보상을 바라고 하는 것이
아니다."라는 신앙 원리를 굳게 믿는 사람들에게는, 더욱 그렇다. 이 믿음
은 참으로 존경할 만한 아름답고 겸손한 올바른 믿음이며, 모든 그리스도
인들이 가져야 할 믿음의 자세이다. 이런 믿음의 자세가 주의 일에 힘쓰는
기본자세인 것은 말할 필요조차 없다. 바울 사도가 그랬다.

> [고전 15:9-10] 나는 사도 중에 지극히 작은 자라 내가 하나님의 교회를
> 핍박하였으므로 사도라 칭함을 받기에 감당치 못할 자로라, 그러나 나의
> 나 된 것은 하나님의 은혜로 된 것이니 내게 주신 그의 은혜가 헛되지 아니
> 하여 내가 모든 사도보다 더 많이 수고하였으나 내가 아니요 오직 나와 함
> 께 하신 하나님의 은혜로라

> [고후 5:9] 그런즉 우리는 거하든지 떠나든지 주를 기쁘시게 하는 자 되
> 기를 힘쓰노라.

그러나 그렇기 때문에 "나는 하늘나라의 상 같은 것은 별로 중요하게
여기지도 않고 바라지도 않는다."고 고집한다면, 그리고 한 걸음 더 나가
서 구원받은 것으로 충분하다고 생각하고 주의 일에 힘도 쓰지 않는다면,
이는 하나님의 심정을 잘 몰라주는 자녀라고 할 수 있다.

우리가 주의 일에 힘써야 하는 이유는 여러 가지다. 첫째는 주님의 지
상명령이기 때문이다. 둘째는 주의 일로 여러 가지 열매를 맺는데 열매가
많으면 하나님 아버지께서 영광을 받으시고 우리가 예수님의 제자다운 제
자가 되기 때문이다. 그래서 예수님은 "너희가 과실을 많이 맺으면 내 아
버지께서 영광을 받으실 것이요 너희가 내 제자가 되리라."[요 15:8]고 하
셨다. 셋째는 주의 일로 맺히는 열매 중에서도 특별히 한 영혼이 구원을 받
으면, 이전에도 이미 설명한 바와 같이 하나님께서 심히 기뻐하시기 때문
이다. 이 외에도 또 다른 이유들이 있겠지만, 하나 더 더한다면 그것이 바

로 하늘나라 상이다. 그리고 이 모든 이유의 근저는 '하나님의 사랑과 은혜에 감사하여 하나님을 기쁘시게 하는 자가 되기 위함'이다. 그러면 왜 주의 일에 힘써 하늘나라 상을 받는 것이 하나님을 기쁘시게 하는 것이 될까?

사람이 누구를 지극히 사랑하면 무엇인가를 자꾸 주고 싶어진다. 그래서 부모가 자녀에게 계속 주고 세상을 떠날 때도 줄 것이 있으면 또 준다. 남녀의 사랑도 마찬가지고 하나님과 성도의 사랑도 역시 그렇다. 이것이 진정한 사랑의 신비한 본성이다. 물론 받고 싶기도 하고 받을 때 기쁨도 크다. 그러나 계속 받기만 원하고 받는 기쁨만 알고 주는 기쁨을 모른다면 이는 진정한 사랑이 아니다. 이기적인 욕심이다. 진정한 사랑은 받기보다는 주고 싶고 주는 기쁨 또한 큰 것이다. 진정으로 사랑하는 사람에게 사랑하는 마음을 담아 정성스레 준비하여 주는 것을 시큰둥하게 받거나 완강하게 거절할 때 속상함은 이루 말로 다 할 수 없다. 그러나 감사한 마음으로 받고 기뻐 뛰는 것을 보면, 주는 사람의 마음 또한 한없이 기쁘다. 받는 사람이 기뻐하면 할수록 주는 사람의 기쁨도 그만큼 커진다.

하나님께서도 그의 사랑하는 자녀들에게 구원 이외에도 좋은 것으로 자꾸 주시기를 기뻐하시는 것은 너무나 당연하다. 하나님은 사랑이시기 때문이다. 그리고 하나님의 자녀들이 감사한 마음으로 기뻐하며 받을 때 하나님의 마음이 기쁘신 것이다. 그래서 하나님께서는 구원 이외에 상을 더하여 주시는 것이다. 그러나 상은 이미 살펴본 바와 같이 하나님의 공의에 의하여 일한 것에 따라 주셔야 했다.

바울 사도는 이 사실을 너무나 잘 알았다. 그래서 바울 사도는 하나님께서 그의 자녀들을 한없이 사랑하셔서 그들에게 주시기를 기뻐하시는 상을, 열심히 일하여 큰 상을 받아 하나님을 크게 기쁘시게 하는 자가 되기 위하여 달려갔다. "그런즉 우리는 거하든지 떠나든지 주를 기쁘시게 하는 자 되기를 힘쓰노라."[고후 5:9]고 하신 바울 사도의 말씀은 그가 하는 모든 일이 살든지 죽든지 오직 하나님을 기쁘시게 하는 자가 되기 위해서라는 말이다. 하늘나라 상을 받기 위한 수고도 예외가 아니었다. 바울 사도가 "형제들아 나는 아직 내가 잡은 줄로 여기지 아니하고 오직 한 일 즉 뒤에 있는 것은 잊어버리고 앞에 있는 것을 잡으려고, 푯대를 향하여 그리스도 예수 안에서 하나님이 위에서 부르신 부름의 상을 위하여 좇아가노라."[빌 3:13-14]고 하신 말씀은, '하나님이 위에서 부르신 부르심의 상' 곧 '의의 면류관'만을 받기 위한 것이 아니었고, 또한, 죄인 중에 괴수 같은 내가 구원을 받았으니 그 위에 무엇을 더 바라리오! 하는 마음도 아니었다. 오직 하나님 구원의 은혜가 너무나도 감사해서 하나님을 기쁘시게 하되 상을 주심으로 기뻐하시는 하나님의 그 기쁨마저도 더 크게 해 드리기 위해서였다. 다시 말해서 주의 일에 힘써 하늘나라 상을 받는 것이 하나님의 사랑과 은혜에 감사하며 하나님을 기쁘시게 하는 일에 속한다는 것이다. 하나님께서 하늘나라에 예비하신 모든 상은, 그 상을 받는 하나님 자녀의 기쁨인 동시에 상을 주시는 하나님의 기쁨이기 때문이다.

사실 하나님께서 구원도 주시고, 또 상도 얹어 주시려고 주의 일에 힘쓰라고 하시는데, "저 같은 죄인이 어떻게 둘 다 받겠습니까? 구원만 받아도 충분합니다."하거나, "저는 구원해 주신 것이 감사해 주님을 섬기지, 상 같은 보상을 받기 위해서는 주의 일을 하지 않겠습니다."하는 것은 언뜻 사람 편에서 보기에는 당연한 겸손 같지만, 하나님 편에서 보면 무지나 아직 자기를 완전히 죽이지 못 한 교만이라고 할 수 있다. 피조물이고 죄인 된 사람이 무엇이기에 천지의 주재이신 하나님께서 은혜와 사랑으로 주시는 지극히 좋은 것을 감사함으로 받지 않고 감히 취사선택을 하는가? 또한, 이 것은 아담이 하나님의 선보다 자신의 선을 택한 것과 무엇이 다를까?

그러므로 하늘나라 상을 받도록 힘쓰는 것이 하나님을 기쁘시게 하는 주의 일에 반듯이 포함되어야 하는 것은 너무나 당연하다. 이것이 우리가 하나님의 상을 꼭 받아야 하는 이유다.

그러나 이 세상에서 '받는 구원'이 부족하거나 천국에서 상을 받지 못한다고 해서 이미 '받은 구원'이 없어지는 것은 아니다. 하나님의 자녀가 되어 천국에서 하나님과 함께 영생복락을 누리는 하나님의 구원은, 예수님을 주님으로 영접하는 순간 이미 완성되었고 영원히 보장된 하나님의 구원이다.

9. 무엇을 위하여 살 것인가?

이 세상에 태어난 모든 사람은 언젠가는 반드시 죽는다. 이것은 사람이 어떻게 할 수 없는 정해진 사실이다. 또한, 보이는 물질세계가 있는 것 같이 사람이 볼 수 없고 느낄 수 없는 물질세계를 초월한 영적 세계가 있다. 이 두 세계를 주관하시는 하나님의 실존을 부인할 수 없다는 증거는, 온 인류에게 자연의 계시와 더불어 하나님의 아들 되시는 예수님에 의해 분명하게 제시되었다.

영적세계에 대한 비밀도 계시되어 천국에서의 영생과 지옥의 심판도 하나님의 말씀에 의하여 분명하게 보였다. 그리스도인들은 이 모든 것을 사실로 여겨 받아들이고 예수님을 믿어 구원받아, 하나님의 자녀가 되었고 예수님의 제자가 되었다. 제자들을 향한 하나님의 뜻이 제자사역인 것도 알려주셨고, 충성스러운 제자들을 위해 하나님께서 예비하신 하늘나라 상에 대해서도 알려 주셨다. 그렇다면 이제 우리는 예수님의 제자로서 무엇을 위하여 어떻게 살 것인가? 이는 제자들을 향한 심각한 도전이다.

답은 분명하다. 제자들의 삶은 하나님께서 창세 전에 가지셨던 '하나님의 기뻐하시는 뜻'을 이루는 사역, 곧 제자사역에 초점을 맞추어야 한다. 그렇다고 모두 목사나 전도사가 되어야 하는 것은 아니다. 정치가는 정치, 의사는 의술, 상인은 상업, 예술가는 예술, 교육가는 교육, 주부는 주부로서 각자 어떤 직종에 종사하든지 상관없이 제자사역을 해야 한다. 이것이 제자들에게 주어진 지극히 복되고 영광스런 삶의 도전이다.

이러한 믿음을 가지고 있던 나는 대학 교수가 되기로 작정했다. 복음 사역만이 영원히 값진 일이고, 특히 가능성이 무궁무진한 젊은이들을 대상으로 학원 사역을 할 수 있겠다는 확신이 있었기 때문이었다. 그래서 나는 마침내 교수가 되어 제자 사역을 하며 안정된 삶을 살고 있었다. 그러던 어느 날, 깊은 기도 중에 하나님의 임재를 체험하며 목사로 부르심을 받았다. 하지만 안정된 삶을 포기하는 나의 결정으로 고생할 지도 모르는 가족을 생각하며 일 년을 주저하다가, 목사가 되면 교수와는 비교할 수 없이 큰 복음 사역을 할 수 있을거라는 믿음이 생겼다. 다행히 아내와 자녀들도 동의하여 나는 목사가 되었고, 아내와 자녀들과 교회를 시작하여 20여 년을 복음 사역에 전심전력하다 보니, 하나님의 도우심으로 천 여명이 넘는 교회가 됐다.

내가 목회를 하던 어느 날이었다. 교회로 가기 위해 고속도로 진입로로 들어가면서 길가에 깔린 자그마한 자갈들을 무심코 지나가는 순간, 내 자동차가 고속도로로 미끄러져 내려갔다. 나는 너무나 당황한 나머지 고속도로에서 빠져나오려고 정신없이 운전대를 돌렸다. 그러나 자동차는 계속 고속도로로 미끄러져 내려갔고, 어쩔 줄 몰라 쩔쩔매는 사이에 자동차가 고속도로 아스팔트를 쳤다. 그 순간 내 차는 스프링처럼 튀어나오며 길옆 콘크리트 벽을 향해 달려갔다. 콘크리트 벽과 정면으로 충돌할 위기에서 나는 반사적으로 운전대를 급히 반대 방향으로 돌렸다. 그랬더니 차가 별안간 유턴을 해 고속도로 중앙 차선 정 가운데 차들이 마주 오는 방향에서 서버렸다.

자동차들이 양옆으로 시속 100킬로, 110킬로로 총알같이 지나갔다. 나는 꼼짝도 못 하고 앞만 바라보고 있는데, 대형 트럭이 내 소형 승용차를 삼킬 기세로 곧장 나를 향해 전속력으로 달려오고 있었다. 그때 나는 '아, 이제 나는 죽는구나!' 하는 생각뿐이었다.

그 순간 이 세상에서 내가 소유했던 모든 것들은 전혀 도움이 되지 않았다. 그렇게 고생하며 받았던 박사 학위 두 개도, 대학교수 경력도, 내가 사랑하던 아내와 세 아들조차도 마찬가지였다.

오직 내가 하나님의 은혜로 예수 믿고 구원받아 하나님의 자녀로 천국에 간다는 확신, 그리고 지금까지 있는 힘을 다해 하나님의 소명대로 주의 일을 열심히 해 온 것들만이 영원한 의미가 있었다.

"하나님, 감사합니다. 내 영혼을 받아 주시옵소서."

나는 운전대를 잡고 달려오는 트럭을 바라보며 떠날 준비와 함께 마지막으로 하나님께 기도했다. 마음이 평안해지며 죽을 준비가 됐다. 모든 것이 순간적이었다. 그때 내 눈앞에서 놀라운 일이 벌어졌다. 질풍같이 달려오던 트럭이 누가 밀어내기라도 한 듯이 오른쪽으로 쫙 밀려 나가는 것이 아닌가!

"오, 하나님!" 내 입에서 나도 모르게 탄성이 터져 나왔다. 하지만 트럭이 완전히 비켜가지 못하고 내 차의 오른쪽 좌석 쪽을 '꽝!' 때리며 지나갔다. 내 자동차는 마치 바람에 날리는 낙엽처럼 빙 돌더니 다시 유턴을 하여, 이번에는 첫 번째 차도로 밀려나갔다. 그런데 이게 웬일인가? 트럭이 또 한 대 달려오는 것이 아닌가!

"오, 하나님!" 나도 모르게 나는 하나님을 부르고 있었다. 내 자동차는 아직도 밀려가고 있는데 이번에는 트럭이 내 자동차 좌측으로 비켜가며, '찌이익!' 소리와 함께 속도가 줄었다. 나는 밀려가고 트럭은 좌측으로 빠져나가다가, 내 운전석 쪽이 트럭 운전석 쪽 타이어 밑으로 밀려들어가며 '꽝!'하는 소리와 함께 멈춰섰다. 순간 안전띠에 가슴이 조이면서 살이 찢기는듯한 통증이 일어났다. 다행히 정신은 멀쩡했다.

"죽지는 않았구나! 하나님, 감사합니다. 하나님, 감사합니다."

내가 하나님께 감사하는 동안 경찰차들과 응급차가 달려왔다. 나는 응급차에 실려 인근 병원으로 옮겨졌고, 얼마 후 아내가 놀라서 뛰어오고 교역자님들과 집사님들도 심방을 왔다. 여러 시간이 지나서야 의사가 지금은 특별히 위험한 증상이 없다며 퇴원을 시켰다. 그렇게 천국문턱까지 갔다 돌아왔다.

나는 목회하면서 갑자기 세상을 떠난 사람들의 장례식에 여러 번 참석했다. 애석한 마음으로 애도하며 이 세상 사는 것이 순간순간 사는 것이라는 것을 느끼면서도, 나 역시 그렇게 갑자기 죽을지도 모른다는 생각을 심각하게 하지 못했다. 하지만 그 교통사고 이후, 삶에 대한 나의 생각은 달라졌다. "한 번 죽는 것은 사람에게 정하신 것이요, 그 후에는 심판이 있으리니"라고 하신 히브리서 9장 27절 말씀, "그러므로 내 사랑하는 형제들아 견고하며 흔들리지 말며 항상 주의 일에 더욱 힘쓰는 자들이 되라 이는 너희 수고가 주 안에서 헛되지 않은 줄을 앎이니라."라고 하신 바울 사도의 말씀이 더욱 심각하게 다가왔다.

'그렇다! 주 안에서 헛되지 않은 수고, 주님을 위한 수고, 천국을 위한 수고에 더욱 힘쓰는 사람이 되자.' 나는 그때 굳게굳게 다짐하며 재헌신 했다.

사실 예수 믿고 구원받아 천국 가는 것만 생각하면, 어려서부터 일찍 예수님을 믿으나 죽기 바로 직전에 예수님을 믿으나 차이가 없어 보인다. 그러나 사실은 현저한 차이가 있다. 어려서부터 일찍 예수 믿고 구원받아 한평생 잘하나 못 하나 성령님과 함께 하나님을 기쁘시게 하며, 충성스럽게 주의 일에 힘쓰다가 세상을 떠나는 사람들은 그래도 주님 앞에 작은 공력이라도 공력을 들고 선다. 그러나 죽기 바로 직전에 구원 받은 사람은 이 세상에서 주의 일에 힘쓸 수 있는 기회를 허송하고 주님 앞에 빈손으로 서게 된다. 이는 참으로 안타깝고 애석한 일이다. 나는 천국 문턱까지 갔다 오는 체험을 통해 이 사실을 더욱 절감했다. 나는 내가 죽기 직전이 아니라 20대에 예수님을 믿게 된 축복을 진심으로 감사하며, 다시 한 번 더 남은 생애를 오직 주님만을 위하여 주의 일에 충성하다가 주님 앞에 서기 위해 최선을 다할 것을 다짐했다. 그 길만이 최상의 인생길인 것이 확실했기 때문이다

10. 구원의 확신

하나님의 구원은 창조주 하나님의 극진한 사랑에 기초한 은혜로, 예수님을 믿는 모든 사람에게 거저 주시는 하나님의 선물이다. 하나님의 구원은 결코 사람들이 스스로 이룰 수 있는 것도 아니고 사람이 만들어 낼 수 있는 것도 아니다. 전적으로 하나님께서 베풀어주시는 은혜의 선물로 하나님의 구원이 확실한 것은 하나님이 신실하신 것과 동일하다. 이 말은 하나님을 믿고 예수님을 주님으로 영접한 사람들은, 이미 해와 달의 존재가 확실한 것보다도 더 확실하게 하나님의 구원을 받았다는 말이다.

1968년 봄, 내가 미국으로 유학을 떠날 때였다. 생전 처음 비행기를 타니 불안하기 짝이 없었다. 그도 그럴 것이, 당시 나는 영어 소통은 좀 할 수 있었으나 미국에 어떤 혈육도 없었기 때문이다. 비행기 표는 가정교사 하던 댁에서 빚을 내어 샀고, 가진 건 몇 권 안 되는 책과 전 재산을 팔아 정리한 지참금이 전부였다. 당시 유학생들은 $200까지 지참이 허용되었지만 나는 그마저도 없어서 $160을 들고 비행기를 탔다. 내가 불안했던 또 다른 이유는, 미국에 가서 학기 시작 전까지 약 6개월 남짓한 동안에 돈을 벌어 빌린 비행기 값도 갚고 학비도 마련해야 했기 때문이었다. 앞으로 새로운 세계에서 해야 할 일들을 위하여 기도하고 있는데 동경에서 다른 비행기로 갈아타야 한다고 했다. 동경의 하네다 공항은 김포공항과는 비교가 안 될 정도로 거대하고 복잡해 천신만고 끝에 미국행 비행기로 갈아탔지만, 한국에서 탔던 한인 스튜어디스는 보이지 않고 미국 스튜어디스만 보이니 더욱 불안했다. 얼마 후 용기를 내서 스튜어디스에게 이 비행기가 미국 시애틀로 가는 거 맞느냐고 묻자, 그녀는 그렇다고 했다. 하지만 혹시 잘 못 듣지나 않았을까 하는 의심과 불안은 내가 시애틀 공항에 내려 내 눈으로 직접 미국인 것을 확인할 때까지 떨치지 못했다. 물론 미국까지 오는 내내 기내 음식이나 비행기를 처음 타는 즐거움 등 여러 가지 혜택은 전혀 즐기지 못했다.

사실 돌이켜보면 나는 처음부터 미국행 비행기를 확인하고 탔기 때문에, 내가 미국으로 가기 위해 할 수 있는 것은 아무것도 없었다. 내가 확신하든 못하든 그들은 나를 미국에 내려 줄 것이었다. 그때 나는 주는 음식을 맛있게 먹고 음악도 들으며 내게 주어진 즐거움을 만끽했어야 했다.

예수님을 믿는 사람들에게 베푸신 하나님의 구원도 이와 마찬가지다. 일단 예수님을 믿고 주님으로 영접했으면, 하나님의 신실하심에 의하여 이미 구원을 받았고, 만일 천국 가는 비행기가 있다면 천국행 비행기를 탄 것과 마찬가지다. 하나님께서 약속대로 우리를 천국에 내려 줄 것이다. 오직 우리가 해야 할 것은 기뻐하고 즐거워하며, 감사와 헌신으로 주의 일에 더욱 힘써 이 세상에서 제자의 삶을 풍성하게 마치고 하나님 앞에 많은 공력을 들고 서는 것뿐이다.

그러면 이제 제 2장에서 제기 되었던 질문들과 더불어 하나님께서는 왜 사람을 만드셨을까? 사람을 지으신 근본 목적은 무엇이었을까? 왜 이렇게 엄청난 하나님의 희생을 감수하면서까지 사람을 구원하시기로 하셨을까? 이와 같은 질문들을 다음 장에서 살펴보도록 하겠다.

제4장

난해한 질문과 그에 대한 답변

난해한 질문들

지금까지 우리는 예수님을 믿는 믿음, 사람의 시작과 변화, 역사의 종말과 하나님의 심판, 그리고 예수 그리스도를 믿음으로 얻는 하나님의 구원에 대하여 성경의 계시를 살펴보았다. 또한, 성경이 유일하게 기록된 하나님 말씀이며 성경에 계시된 이 모든 기록이 진실이라는 것은, 오직 성경만이 성령의 감동으로 되었고 이를 인정하신 예수님이 하나님의 독생자였다는 사실에 근거한다. 그러므로 모든 그리스도인은 성경 말씀을 따라 순종하며 충성된 제자의 삶을 살아야 한다.

그렇다고 해서 그리스도인들은 성경 말씀에 대해 질문조차 하지 말아야 한다는 것은 아니다. 믿음이란 체험적으로 알지 못하는 것들을 사실로 여겨 받아들이는 것이라는 본질적인 성격 때문에, 믿음으로 받아드려도 질문은 얼마든지 있을 수 있다. 잘 모르기 때문이다. 이 원리는 사람이 세상을 살아가면서 접하는 하나님과의 관계, 이웃과의 관계, 그 외의 모든 관계에서 동일하게 적용된다.

한 예를 들면, 오늘날 대부분 사람이 텔레비전이 어떻게 작동하는지 그 원리와 회로와 제작 과정 등 모르는 것이 너무나 많다. 그래도 스위치를 켜고 원하는 방송국 채널을 맞추면 프로그램을 시청할 수 있다는 믿음으로 텔레비전을 작동하고 프로그램을 즐긴다. 대부분 사람은 이로써 만족하고 질문이 더 필요 없다. 그러나 어떤 사람은 '어떻게 저런 영상이 나오지? 송수신은 어떻게 하지? 회로는 어떻게 되어 있지?' 등 수많은 의문을 가질 수 있다. 물론 이 모든 의문에 만족하고 이해할 만한 답을 얻으려면 텔레비전 전문가가 되어야 할 것이고, 그래도 그 후에 계속 생기는 많은 질문에 대한 답을 다 알 수는 없을 것이다. 이렇게 질문하고 해답을 찾아가는 사람은 텔레비전을 전혀 모르고 사용하는 사람들보다 텔레비전을 좀 더 알고 사용하는 장점을 가지게 될 것이다. 그러나 텔레비전을 시청하는 데는 전혀 차이가 없다. 텔레비전의 작동 원리와 그 내용을 자세히 안

> 게 복을 주시며 그들에게 이르시되 생육하고 번성하여 땅에 충만하라, 땅을 정복하라, 바다의 고기와 공중의 새와 땅에 움직이는 모든 생물을 다스리라 하시니라

이 말씀에 의하면, 하나님께서 사람을 지으신 목적은 지구촌에 거하는 다른 모든 피조물을 다스리는 것이었다. 그러나 이것이 하나님께서 사람을 지으신 목적의 전부가 아닌 것이 분명하다. 다른 피조물들을 관리하는 것만이 사람을 지으신 목적이었다면, 하나님께서는 사람을 하나님의 명령에 절대복종하며 다른 피조물들을 잘 관리할 수 있는 슈퍼 로봇으로 얼마든지 지으실 수 있었을 것이다. 그러나 하나님께서는 그렇게 하지 않으시고 온전한 자유의지를 가진 인격체로 사람을 지으셨다. 이는 사람을 그렇게 지으신 또 다른 목적이 있었다는 말씀으로 에베소서 1장 3절 이하에 자세히 계시해 주셨다.

> [엡 1:1-6] (1) 하나님의 뜻으로 말미암아 그리스도 예수의 사도 된 바울은 에베소에 있는 성도들과 그리스도 예수 안의 신실한 자들에게 편지하노니 (2) 하나님 우리 아버지와 주 예수 그리스도로 좇아 은혜와 평강이 너희에게 있을지어다 (3) 찬송하리로다 하나님 곧 우리 주 예수 그리스도의 아버지께서 그리스도 안에서 하늘에 속한 모든 신령한 복으로 우리에게 복주시되, (4) 곧 창세 전에 그리스도 안에서 우리를 택하사 우리로 사랑 안에서 그 앞에 거룩하고 흠이 없게 하시려고, (5) 그 기쁘신 뜻대로 우리를 예정하사 예수 그리스도로 말미암아 자기의 아들들이 되게 하셨으니, (6) 이는 그의 사랑하시는 자 안에서 우리에게 거저 주시는 바 그의 은혜의 영광을 찬미하게 하려는 것이라

이 말씀에는 '우리'라는 말이 일곱 번 되풀이 된다. 1절에 의하면, 2절과 3절과 6절에서의 '우리'는 바울 사도와 더불어 에베소에 있는 성도들과 그리스도 예수 안의 신실한 자들로, 이 사람들은 모두 예수 믿고 구원받은

사람들인 것이 분명하다. 또한, '하늘에 속한 모든 신령한 복'은 예수 믿고 구원받은 사람들이 하늘나라에서 누리게 되는 실로 어마어마한 모든 영적 축복을 뜻한다.

그러나 4절과 5절에서 "곧 창세 전에 그리스도 안에서 우리를 택하사 우리로 사랑 안에서 그 앞에 거룩하고 흠이 없게 하시려고, (5) 그 기쁘신 뜻대로 우리를 예정하사 예수 그리스도로 말미암아 자기의 아들들이 되게 하셨으니"의 '우리'는 같은 단어이지만, 뜻으로는 '예수 믿고 구원 받은 사람들' 뿐만 아니라, '모든 사람'을 의미하신 것이 분명하다. 만일 그렇지 않다면 하나님께서 창세 전에 예수 믿고 구원 받을 사람들을 이미 택하셨고 나머지 사람들은 멸망한다는 뜻이 된다. 그렇다면 바울 사도는 심히 난처한 자기모순에 처하게 된다. 바울 사도는 "그러므로 내가 첫째로 권하노니 모든 사람을 위하여 간구와 기도와 도고와 감사를 하되, 임금들과 높은 지위에 있는 모든 사람을 위하여 하라 이는 우리가 모든 경건과 단정한 중에 고요하고 평안한 생활을 하려 함이니라, 이것이 우리 구주 하나님 앞에 선하고 받으실 만한 것이니, 하나님은 모든 사람이 구원을 받으며 진리를 아는 데 이르기를 원하시느니라."[딤전 2:1-4]라고 말씀하셨기 때문이다.

여기서 바울 사도가 말한 '모든 사람'은 원어에도 특별한 다른 뜻이 없는 문자 그대로 '모든 사람'이다. 또한, 당시 로마의 임금들과 높은 지위에 있었던 사람들은 대부분이 예수님을 알지도 듣지도 못했으며, 혹 들었다 해도 믿지 않았을 뿐만 아니라 오히려 예수 믿는 사람들을 핍박하던 사람들이다. 그래도 이 모든 사람을 위하여 간구하며 기도해야 하는 이유는, 하나님께서는 그와 같은 사람들을 포함한 모든 사람이 구원을 받으며 진리를 아는데 이르기를 원하시기 때문이라고 하셨다.

그러므로 디모데에게는 "하나님은 모든 사람이 구원받기를 원하신다. 그러니 이 모든 사람을 위하여 간절히 기도하라."고 하시고, 에베소 성도들에게는 "하나님은 구원 받을 자와 멸망 받을 자를 창세전부터 이미 선택하셨다. 우리가 그들 중에 구원받을 자로 선택된 자들이다."라고 말씀하시는 결과가 되어, 바울 사도는 커다란 자기모순에 빠지게 된다. 이것은 하나님의 '택하심'과 '우리'를 오직 '예수 믿고 구원받은 자들'에게만 제한하여 해석한 결과다. 그러므로 창세 전에 하나님의 택하심은 모든 사람을 택하셨음이 분명하다. 여기서 '택하다'는 원어의 '엑크레고'로 '선택되지 않은 것은 버리고 선택된 것만 보유한다.'는 뜻이 아니고, '많은 선택의 대상 중에서 특별한 은혜와 사랑을 베풀어 선택한다.'는 뜻으로 쓰인 것에 비추어 보아서도 보이는 세계와 보이지 않는 세계의 모든 피조물 가운데, 특별한 은혜를 베풀어 사람을 택하셨다고 보는 것이 바른 해석이다.

5절의 "그 기쁘신 뜻대로 우리를 예정하사"의 '예정'도 같은 맥락에서 이해해야 할 것이다. 즉 하나님께서는 하늘에 속한 모든 신령한 복을 주시려고 많은 피조물 가운데서 사람을 택하시고, 또 '그 기쁘신 뜻'대로 예수 그리스도로 말미암아 자기의 아들들이 되도록 '미리 결정하셨다.'는 말씀이다.

그리하여 마침내는 하나님의 사랑하는 자 곧 예수 그리스도 안에서 예수 믿고 구원받은 모든 사람에게 거저 주시는 하나님 은혜의 영광을 찬미하게 하려는 것이 하나님께서 사람을 지으신 의도요 목적이라는 말씀이다. 그리고 하나님께서는 그 뜻을 이루시려고 모든 종합계획을 만드시고 하나씩 하나씩 이루어 가신다는 것이다. 이 모든 점을 종합하여 정리하면 아래와 같다.

> [엡 1:3-6] 찬송하리로다 하나님 곧 우리(예수 믿고 구원받은 사람들의) 주님이 되시는(하나님께서는 모든 사람이 예수님을 주님으로 모시기를 원하시고, 또 기회도 주셨으나 예수님을 믿지 않는 사람들은 하나님의 뜻을 거절하고 예수님을 주님으로 모시지 않는다.) 예수 그리스도의 아버지께서 그리스도 안에서 하늘에 속한 모든 신령한 복으로 우리(예수 믿고 구원 받은 사람들)에게 복 주시되(하나님께서는 모든 사람이 복 받기를 원하시고 또 받을 기회를 공평하게 주셨지만, 하나님을 믿지 아니하는 사람들은 축복받기를 거절하여 받지 못하고, 오직 하나님

의 뜻에 순종하여 예수 믿고 구원받은 사람들만이 받게 된다.), 곧 창세전에 그리스도 안에서(많은 다른 피조물 가운데서 사람이 된) 우리를(특별한 은혜로) 택하사 우리(모든 사람)로(하여금) 사랑 안에서 그(하나님) 앞에 거룩하고 흠이 없게 하시려고, 그 기쁘신 뜻대로 우리(모든 사람)를 예정하사 (누구든지 하나님의 뜻에 순종하고 따르기만 하면 예수) 그리스도로 말미암아 자기의 아들들이 되게 하셨으니, 이는 그의 사랑하시는 자 곧 그리스도 예수 안에서(하나님의 뜻에 순종함으로 구원받은) 우리에게 거저 주시는 바 그의 은혜의 영광을 찬미하게 하려는 것이라

이 말씀에 의하면 하나님의 모든 창조와 또 그 후에 이루어 가시는 역사가 모두 하나님의 '그 기쁘신 뜻'에 의한 의도적이라는 말씀이다. 하나님께는 우연이란 것이 있을 수 없다. 하다 보니 그렇게 되었다는 말은 통하지 않는다. 따라서 하나님께서 아담과 하와에게 온전한 자유의지를 주신 것이나, 선악과를 만드신 것과 선악과 사건을 미리 아시고도 막지 않으신 것들이 모두 의도적이었다는 말씀이다.

지금까지 살펴본 말씀을 정리하면 하나님께서 사람을 지으신 동기는 '하나님의 그 기쁘신 뜻'이요, 목적은 '하나님의 자녀가 되어 하늘에 속한 모든 신령한 복을 누리며 하나님의 영광스런 은혜를 찬양하며 영생복락을 누리게 함이요', 구체적인 방법은 '예수 그리스도의 구속사역을 통하여 그리스도 예수 안에서 믿음으로 주시는 하나님의 구원'이다.

하나님께서는 영원한 때 전부터 예수 그리스도 안에서 사람으로 하여금 하늘에 속한 모든 신령한 복을 누리며, 억지도 아니고 선택의 자유가 없는 로봇의 순종도 아닌 온전히 자율적인 선택으로 하나님의 영광을 찬양하며 하나님과 사랑을 나눌 수 있기를 원하셨다. 이를 위한 필수 조건이 사람의 온전한 자유의지였다. 만일 사람이 온전한 자유의지를 갖지 못하면 하나님의 그 뜻은 온전히 이루어질 수 없었다. 억지 사랑은 진정한 사랑도 아니고 순수한 기쁨도 되지 않기 때문이다.

하나님께서는 처음 사람인 아담과 하와가 사단의 유혹을 받고 하나님을 배신할 것도 아시고, 또 아담과 하와의 후손들 가운데에는 하나님께서 독생자를 희생시켜 가면서 구원을 베풀어도 하나님을 불신하고 구원을 거절할 사람들이 생길 것도 다 아셨다. 그러나 그중에는 하나님을 믿고 하나님의 사랑을 깨달아 자율적으로 하나님의 구원을 받아들이고, 하나님을 온전한 인격적인 사랑으로 사랑하며 하나님 은혜의 영광을 찬미하는 사람들도 생길 것을 아셨다. 따라서 이처럼 하나님을 믿고 하나님을 사랑하는 사람들과 더불어 하나님의 뜻을 이루시려고, 사람을 온전한 자유의지를 가진 피조물로 지으시기로 작정하신 것이다. 이는 독생자를 대속물로 희생하면서라도 사람으로 하여금 하늘에 속한 모든 신령한 복을 누리며, 하나님의 영광스런 은혜를 찬양하며 사랑을 나누시기를 원하시는 하나님의 사랑에 근거한 것이다. 왜냐하면, 하나님은 사랑이시고 사랑은 사랑의 대상을 요구하기 때문이다. 이것이 신비한 사랑의 특성이며, **사람이 하나님의 특별한 사랑의 대상으로 선택된 것이다.**

그러므로 천지를 창조하시고 사람을 지으신 하나님의 동기와 목적과 방법이 모두 하나님의 사랑에 근거한 것으로, 하나님의 선악의 기준으로 볼 때는 다 선한 것이다. 선하신 하나님의 의도가, 때로는 부모의 사랑의 매가 철모르는 자녀들에게 매정해 보이는 것 같이, 사람이 보기에는 하나님의 성품에 위배되는 것 같아 혼란스러울 때도 있지만 하나님 편에서 보면 최선이다. 이것이 너무나 당연한 것은 하나님은 선하시고 의로우시며 그에게는 악이 조금도 없으신 사랑의 하나님이시기 때문이다.

선악과 사건도 하나님의 뜻을 이루시기 위한 필연적인 사건이었음이 분명하다. 왜냐하면, 선악과 사건이 없이는 예수 그리스도의 구속사역이 필요 없고, 예수 그리스도의 구속사역이 필요 없으면 그리스도 예수 안에서 그리스도로 말미암아 사람이 구원을 받고, 그 안에서 하나님의 자녀가 되기를 원하셨던 '하나님의 그 기쁘신 뜻'도 성취될 수 없었기 때문이다.

그러면 하나님께서는 왜 사람을 특별한 사랑의 대상으로 택하셨을까? 왜 오직 예수 그리스도 안에서, 오직 예수 그리스도로 말미암아서만 그 뜻을 이루시기로 하셨을까? 또 왜 선악과 사건을 필연적인 사건으로 택하셨을까? 이러한 질문들은 당연한 질문들이지만 우리가 전혀 알 수 없는 하나님의 주권에 속한 것이다.

하나님은 거룩하시고 선하시며 사랑과 인자하심이 영원한 전지전능하신 분으로, 하나님의 지혜와 지식과 능력에 의하여 하나님께서 기뻐하시며 원하시는 것을 하실 수 있는 주권을 가지신 분이다. 이러한 하나님의 주권에 대한 제한은 오직 하나님 스스로만이 하실 수 있다. 거듭 강조하지만 이러한 하나님의 주권에 대해 누구도 "하나님 왜 그렇게 하십니까? 그렇게 하실 수 없습니다. 그러시면 안 되니 이렇게 하십시오."라고 할 수 없다. 그럴만한 자격이 없기 때문이다. 그러나 한 가지 분명한 것은 하나님께서 하시는 모든 일이 비록 사람이 판단하기에는 최선이 아닌 것 같아 보여도, 하나님 편에서 보면 최선이다. 바울 사도의 말씀대로 '그때'가 되면 하나님께서 행하시는 모든 일이 하나님의 최선이었던 것이 확실해질 것이다. 그러나 하나님께서 지금 우리에게 확실하게 계시하시는 것은, 예수님께서는 하나님의 아들이시고 예수님을 믿는 믿음으로 하나님의 구원을 받는다는 것이다. 이것이 성경의 핵심이다.

2. 사단(Satan)의 정체

질문: 사단의 정체는 무엇인가?

답변: 사단은 원어의 '사타나스'로 '대적하는 자'라는 뜻이다. 성경은 사단을 타락한 천사들의 두목으로 때로는 마귀라고도 불렀다. 사단은 하나님을 대적하고 성도들을 시험하며, 사람을 속이고 도적질하며 멸망시키는

일을 하는 공중에 권세 잡은 자, 어둠의 세상 주관자라고 했다. 사단은 예수님에 의하여 정복되어 최후에는 하나님의 심판을 받고, 그를 따르는 타락한 천사들과 함께 영원히 지옥으로 가게 되어있다.

사단의 정체를 알고 나면 전지전능하신 하나님께서는 천사들을 창조하시면 그들 중에 하나님을 배반하고 대적하는 사단과 사단을 따르는 타락한 다른 천사들이 생길 것을 미리 다 아셨을 텐데, 왜 천사들을 창조하셨을까 하는 질문이 뒤따른다. 이 질문도 선악과 사건과 마찬가지로 하나님께서 천사들을 통하여 하시고자 하는 의도와 전체 계획, 그리고 그 방법을 알 때 비로소 답을 얻을 수 있다. 그러나 하나님께서는 이에 대해서 성경에 별로 자세히 계시하시지 않으셨다. 아마도 그것은 사람들의 관할이 아니기 때문일 수도 있다.

3. 복음을 듣지 못하고 죽은 사람들

질문: 예수님의 복음을 들을 기회가 없이 죽은 사람은 어떻게 되는가?

답변: 이 질문은 출산 시나 유아 등 철모르는 시기에 세상을 떠난 자녀들로 인하여 아픔을 가진 사람들이나, 한국에는 복음이 전해진 지 오래 되지 않아서 구원받은 성도들 가운데 복음을 들을 기회가 없이 돌아가신 부모나 혈육을 생각하며 할 수 있는 질문이다. 또는 복음에 대하여 질문이 많은 분이나, 예수를 믿지 않는 분들이 자주 하는 질문이다.

먼저 어린아이로 세상을 떠난 경우에 대하여 성경을 살펴보면, 예수님께서는 아이들과 천국에 대하여 이렇게 말씀하셨다.

> [마 18:2-3] 예수께서 한 어린아이를 불러 저희 가운데 세우시고 가라사대 진실로 너희에게 이르노니 너희가 돌이켜 어린아이들과 같이 되지 아니하면 결단코 천국에 들어가지 못하리라

> [마 19:13-15] 때에 사람들이 예수의 안수하고 기도하심을 바라고 어린아이들을 데리고 오매 제자들이 꾸짖거늘, 예수께서 가라사대 어린아이들을 저희 위에 안수하시고 거기서 떠나시니라

이 말씀은 평범한 사람들을 향한 예수님의 말씀으로 그 말씀 그대로 천국은 어린아이들의 것이라고 믿어야 한다. 이에 대하여 아무리 신학적 논쟁을 할지라도 예수님께서 어린아이들을 품에 안고 "천국은 이런 자의 것이니라."고 하신 말씀은 결코 변하지 않는다.

여기서 어린아이가 몇 살까지냐고 묻는다면 정확한 답은 말할 수 없으나, 아이들이 예수님 앞에 설 수 있는 나이니 갓난아이들은 아닌 것이 분명하다. 중요한 것은 나이보다는 '어린아이' 같은 '아이'이고, 또한, 예수님께서 '천국이 이런 자의 것이니라.'고 하셨을 때 '이런 자'는 유대인의 어린아이들만을 의미하신 것이 아니라는 것이다.

어린아이들 말고 그 외의 사람들은 어떻게 될까? 이에 대해서는 성경이 분명하게 계시한 바를 찾기 어렵다. 그러므로 복음을 듣지 못하고 죽은 사람들이 어떻게 되는지 지금은 모른다. 하지만 하나님은 공의의 하나님이시기 때문에 그들을 공의로 대해 주실 것만은 확실하다. '하나님의 공의'라는 말은 하나님께서 하시는 모든 일에 대하여 아무도 부당하다고 항의할 사람이 없다는 뜻인 것은 이미 설명했다. 그만큼 공평하시다는 말이다.

따라서 복음을 듣지 못하고 죽은 사람들이 어떻게 될 것이냐 하는 질문보다는, 지금 복음을 듣거나 들을 기회가 있는 오늘의 내가 복음과 예수님에 대해 어떻게 할 것인가가 더욱 심각한 과제이다.

4. 예수 믿는 사람의 계속 짓는 죄

질문: 예수 믿는 사람도 계속 죄를 짓는데 그 죄는 어떻게 되나?

답변: 이 질문은 참으로 중요하고도 심각한 가장 현실적인 질문 중의 하나이다. 예수 믿는 사람 중에는 열악한 환경과 연약한 자신이라는 현실 속에서 죄를 거듭 지으면서 괴로운 심정으로, "내가 예수 믿고도 이렇게 계속 죄를 지으니, 나는 할 수 없는 죄인이요 이 죄는 다 어떻게 되는가?"하며 안타깝게 질문할 수도 있다.

또는, 예수 믿기를 망설이거나 믿지 않는 사람들의, "예수를 잘 믿는다는 목사, 장로, 집사들도 죄를 짓고, 예수 믿지 않는 사람들보다도 더 악하게 사는 사람들도 많은데 그들의 죄는 어떻게 되나? 그래도 예수 믿는 사람은 천당 가고 예수 믿지 않는 사람은 지옥에 가나?"라고 하는 하나님이 부당하다는 뜻의 반문일 수도 있다.

우선 이 질문에 답하기 전에 정말 예수님을 잘 믿었던 한 사람을 소개한다. 그는 부활 승천하신 예수님도 직접 만나 보았고, 삼층천 곧 낙원에도 이끌려가서 사람이 가히 이르지 못할 하나님의 말씀을 직접 듣고 왔을 뿐만 아니라, 복음과 예수님을 위해 순교까지 한 사람이다. 이 정도면 정말 최고로 예수님을 잘 믿는 사람이라고 할 수 있다. 이 사람은 바로 바울 사도로서, 그는 로마서 7장에서 자기의 내적 고민을 이렇게 고백했다.

> [롬 7:18-25] 내 속 곧 내 육신에 선한 것이 거하지 아니하는 줄을 아노니 원함은 내게 있으나 선을 행하는 것은 없노라, 내가 원하는 바 선은 하지 아니하고 도리어 원치 아니하는 바 악은 행하는도다, 만일 내가 원치 아니하는 그것을 하면 이를 행하는 자가 내가 아니요 내 속에 거하는 죄니라, 그러므로 내가 한 법을 깨달았노니 곧 선을 행하기 원하는 나에게 악이 함께 있는 것이로다, 내 속 사람으로는 하나님의 법을 즐거워하되, 내 지체 속에서 한 다른 법이 내 마음의 법과 싸워 내 지체 속에 있는 죄의 법 아래

> 로 나를 사로잡아 오는 것을 보는도다, 오호라 나는 곤고한 사람이로다 이 사망의 몸에서 누가 나를 건져내랴, 우리 주 예수 그리스도로 말미암아 하나님께 감사하리로다 그런즉 내 자신이 마음으로는 하나님의 법을, 육신으로는 죄의 법을 섬기노라

이 말씀을 보면 바울 사도도 보통 예수 믿는 사람들과 똑같이 죄로 인한 내적 갈등이 있었고 더욱 심했다는 것을 알 수 있다. 이는 당연하다. 신앙심이 깊어지면 질수록 영적 갈등이 더욱 예민해지기 때문이다. '내 속 곧 내 육신에'라는 말의 '육신'은 때로는 '육체'라고도 쓰인 원어의 '사륵스'로 '사람의 비물질 부분인 날 때부터 타고 나는 타락한 성품'을 말한다. 바울 사도는 이것이 육체의 일을 유발하는 죄의 근원이라고 아래와 같이 말씀하셨다.

> [갈 5:16-21] 내가 이르노니 너희는 성령을 좇아 행하라 그리하면 육체의 욕심을 이루지 아니하리라, 육체의 소욕은 성령을 거스리고 성령의 소욕은 육체를 거스리나니 이 둘이 서로 대적함으로 너희의 원하는 것을 하지 못하게 하려 함이니라, 너희가 만일 성령의 인도하시는 바가 되면 율법 아래 있지 아니하리라, 육체의 일은 현저하니 곧 음행과 더러운 것과 호색과, 우상 숭배와 술수와 원수를 맺는 것과 분쟁과 시기와 분냄과 당짓는 것과 분리함과 이단과, 투기와 술 취함과 방탕함과 또 그와 같은 것들이라 전에 너희에게 경계한 것같이 경계하노니 이런 일을 하는 자들은 하나님의 나라를 유업으로 받지 못할 것이요

이 죄의 근원인 타락한 성품이 바로 아담과 하와의 첫 아들인 가인이 동생 아벨의 제사는 하나님이 열납하시고 자기의 제사는 받지 않으시자 심히 분노하는 것을 보시고 하나님께서 가인에게 "죄의 소원은 네게 있으나 너는 죄를 다스릴지니라."[창 4:7]고 말씀하신 그 '죄의 소원'이다.

이것은 모든 아담과 하와의 후손에게 전해지고 있는 사람이 결코 없앨 수 없는 강한 성품이다. 이 같은 육신의 성품을 가진 사람이 예수님을 믿

고 주님으로 영접하면, 하나님의 거룩한 성령 곧 그리스도의 영이 그 사람의 몸 안에 들어가 그들의 영혼과 함께 거하시며 그 사람의 본체인 영혼으로 하여금 하나님께서 주신 온전한 자유의지를 하나님의 뜻을 따라 행하도록 도와주신다. 하지만 좀처럼 사람의 자유의지를 무시하고 억지로 하게 하시지는 않으신다. 사람의 온전한 인격을 그만큼 존중하시기 때문이다. 그래서 바울 사도는 "선을 행하기 원하는 나에게 악이 함께 있는 것이로다."라고 고백했다.

때로는 선을 행하기를 원하는 내가 강한 의지와 성령의 도우심으로 육신의 과욕을 누르고 선을 행할 때도 있다. 그러나 어떤 때는 육신의 과욕이 강하게 일어나 성령의 도움보다는, 육체의 과욕을 부추기는 마귀의 유혹을 따라 죄의 법 아래로 사로잡혀 올 때도 있다. 그래서 바울 사도는 "오호라 나는 곤고한 사람이로다. 이 사망의 몸에서 누가 나를 건져내랴!" 하며 탄식하고 절규했다. 결국, 사람은 예수님을 믿고 그 안에 성령이 계셔도 육신의 성품은 버릴 수 없고, 육신의 성품을 버릴 수 없는 한 죄를 지을 수밖에 없다는 결론이다.

그러면 이러한 육신의 성품은 언제 없어질까? 예수님께서 만물을 자기에게 복종케 하실 수 있는 자의 역사로, 우리의 낮은 몸을 자기 영광의 몸의 형체와 같이 변케하실 그 때다. 그날이 오면 죄의 성품에서 완전히 해방될 것이다.

그러면, 그때까지 사람이 예수님을 믿고도 계속 짓는 죄는 어떻게 되는 것일까? 전에도 설명한 바와 같이 하나님의 심판이 없다. 예수님이 이미 그들의 모든 죄를 대속하셨기 때문이다. 이것이 예수님을 믿는 사람과 믿지 않는 사람과의 차이다. 예수를 믿거나 안 믿거나 사람은 죄를 짓고, 때로는 예수 믿는 사람들이 더 많은 죄를 지을 수도 있지만, 예수 믿는 사람들의 죄는 예수님께서 대속해 주셨고 예수 믿지 않는 사람들의 죄는 자신이 책임져야 한다.

그러므로 때로는 예수 믿는 사람들이 예수 믿지 않는 사람들보다 더 많은 죄를 지어도 회개하고 천국에 가는 것은, 하나님이 불의하시기 때문이 아니고 예수님의 대속의 은혜 때문이다. 예수 믿지 않는 사람은 하나님의 은혜를 거절하는 교만함 때문에 지옥에 가고, 예수 믿는 사람은 하나님의 은혜를 믿음과 감사함으로 받아들인 겸손함 때문에 천국에 가는 것이다.

그렇다고 해서 죄에 대하여 무감각해져서는 안 된다. 죄를 지으면 지을수록 죄가 악하면 악할수록, 지상에서 '이루어가는 구원' 곧 그리스도 예수 안에서 누리는 풍성한 삶이 초라해진다. 아무리 작은 죄라도 범하면 바울 사도처럼 가슴을 치고 탄식하며, 다시는 죄를 짓지 않겠다는 굳은 결심과 각오로 성령의 도움을 간구해야 한다. 그리고 바울 사도처럼 모든 죄를 대속해 주신 예수님의 은혜에 감사하며 하나님께 더욱 영광을 돌리는 삶을 살아야 한다.

또한, 육신의 정욕을 제어할 강한 자제력을 위하여 성령충만을 간구하며, 마귀를 대적할 하나님의 말씀을 암송하고 준비하여, 육신의 과욕과 마귀의 유혹이 닥쳐올 때 대적하여 싸워 승리를 거듭해야 한다. 이러한 승리의 삶을 훈련하면 결국에는 죄를 덜 짓는 예수님의 제자가 되어 이 세상에서 이루어가는 구원이 빛나게 된다. 이와 같은 승리의 삶은 제자훈련을 통해서 이루어진다. 예수님을 믿는 모든 분은 반드시 교회에서 제공하는 제자훈련을 받을 것을 적극적으로 권면한다.

5. 계속되는 악의 존재

질문: 전지전능하시며 선하시고 의로우신 하나님이 세상을 주관하신다면 왜 악이 계속 존재하는가?

답변: 이 질문은 세상의 불의와 죄악에 대한 인간의 탄식일 수 있다. 또한, 예수님을 믿지 않는 사람들이 가장 많이 사용하는 반론 중의 하나

이다. 하나님께서 전지전능하시고 선하시며 의로우신 천지의 주재시라는 것을 성경은 분명히 말씀하신다.(전지하심: [요일 3:20], 전능하심: [창 17:1], 선하심: [막 10:18], 의로우심: [사 5:16], 천지의 주재이심: [마 11:25]). 그렇다면 왜 이 세상에는 악이 존재하는가 하는 당연한 질문이 나올 수밖에 없다.

이 질문에 답하기 위해서는 먼저 악이란 무엇인가를 분명하게 정의할 수 있어야 한다. 악에 대한 정의가 분명하지 않으면 무엇이 악이고 무엇이 선인지 알 수 없기 때문이다.

선과 악은 선악과 사건 때부터 사람과 하나님께 심각한 주제였다. 선악의 분별은 원래 사람의 몫이 아니고 하나님의 주권에 속한 것이었다. 하나님이 선하다 하시면 그것이 선이었고 하나님이 악하다 하시면 그것이 악이었다. 하나님께서 선하다 하시는 선을 따르고, 악하다 하시는 악을 멀리하면 사람이 할 일은 다하는 것이 원래 사람과 하나님과의 관계였다.

그러나 사람이 하나님께서 금하신 선악과를 먹은 후에는 자기 나름대로 선악을 분별하며 행할 수 있는 능력이 생겼다. 하나님은 "벌거벗은 그대로가 좋다. 즉 그것이 선이다."라고 하셨지만, 사람은 "벌거벗은 것은 좋지 않다. 즉 악이니 가리자."라며 무화과나무 잎으로 치마를 만들어 입었다.

달라진 하나님과 사람과의 선악의 기준은 아담과 하와에서 끝나지 않고, 모든 사람이 각각 자기 나름대로 서로 다른 선악의 기준을 가지고 선악을 판단하고 행하며 살기에 이르렀다. 그래서 부부간에도 선악의 기준이 다르고 부모와 자녀 사이에도 다르며, 나라와 나라 민족과 민족 사이에도 달라서 각각 나름대로 선악의 기준에 따라 행동하며 살아간다.

공산 국가에서 자본주의는 악이어서 부자를 싫어하고 심지어는 죽이기까지 한다. 자본주의 국가에서는 공산주의가 악이어서 부자를 장려하고 개인 재산을 보호하며 공산을 인정하지 않는다. 똑같은 부자인데 한곳에서는 악이고 한 곳에서는 선이다. 식인종에게 살인은 한 끼 식사 준비에 불과한 선이지만, 문명국가에서는 절대로 허용되지 않는 악이다. 똑같은 살인도 한 곳에서는 필수적인 선이고 한 곳에서는 절대로 범해서는 안 되는 악이다. 주권자들에게 혁명은 악이며 혁명 주최자들은 반동분자들이다. 혁명가들에게 혁명은 선이며 주권자들과 그들의 체제는 악이다. 그러므로 서로 죽여 없애야 한다. 누가 마지막에 승리하느냐에 따라서 선과 악이 결정된다. 혁명가가 승리하면 주권자는 악한 자로 처형을 받아야 하고, 주권자가 승리하면 혁명가가 악한 자가 되어 죽어야 한다. 이 모든 것은 선악의 기준이 서로 다르기 때문에 일어나는 것이다.

그러므로 사람들이 주장하는 각자의 선과 악은 일관성도 없고 공정하지도 않다. 서로가 자기가 주장하는 선이 참된 선이고 자기가 주장하는 악이 정말 악이라고 한다. 그러므로 선악을 세상 사람들의 기준에서 논하는 것은 의미 없는 편견이고, 진정한 선악의 판단은 하나님의 기준에 의해 판단되어야 한다. 하나님께서 선하다 하시는 것이 참된 선이며 악하다 하시는 것은 정말 악한 것이기 때문이다. 그러면 하나님의 선악의 기준은 무엇일까? 성경이다. 성경에는 하나님의 선악의 기준이 자세하게 잘 기록되어 있다. 그러나 성경에 기록된 이 많은 선악의 기준은 본질적으로 율법이 아니고 사랑이라는 것을, 예수님께서는 분명하게 다음과 같이 말씀해 주셨다.

> [마 22:37-40] 예수께서 가라사대 네 마음을 다하고 목숨을 다하고 뜻을 다하여 주 너의 하나님을 사랑하라 하셨으니, 이것이 크고 첫째 되는 계명이요, 둘째는 그와 같으니 네 이웃을 네 몸과 같이 사랑하라 하셨으니, 이 두 계명이 온 율법과 선지자의 강령이니라

여기서 '율법과 선지자'는 구약 성경을 의미하며, '강령'은 '성경이 매달려 있는 모체'라는 말이다.

이 말씀은 다시 말해서 하나님을 사랑하는 것이 첫째 계명, 즉 첫째 선이고, 이웃을 사랑하는 것이 둘째 계명, 즉 둘째 선이라는 말씀이다. 이 말

씀은 역으로 하나님을 사랑하지 않는 것이 첫째 악이고 사람을 사랑하지 않는 것이 둘째 악이라는 말씀이다. 그러므로 하나님과 사람을 사랑하지 않는 것과 그로 인한 모든 결과가 악인 반면에, 하나님을 사랑하고 사람을 사랑하는 모든 결과가 선이다.

하지만 사람들은 하나님을 사랑하기보다는 오히려 하나님을 멸시하고 모독했을 뿐만 아니라 사람도 사랑하지 않았다. 그러므로 하나님께서 사람들을 그 마음의 정욕대로 더러움과 부끄러운 욕심과 상실한 마음대로 내버려 두셨고, 이 때문에 사람들이 온갖 추악한 죄악들을 행하며 사는 결과가 되었다고 성경은 말씀하신다.

이것이 바로 이 세상에 죄가 존속하는 이유이고 그 원인은 하나님이 아닌 바로 우리 인간 때문이다. 따라서 사람이 이 세상에 존재하는 한, 악은 인류의 종말까지 계속될 것이다.

하나님께서 사람을 '내버려 두셨다.'는 말은 '그냥 할 짓 다하도록 내버려 두었다.'는 말씀이다. 그렇다고 포기하고 영 잘라버렸다는 말씀도 아니고 또한, 주관하지 않으신다는 말씀도 아니다. 아직도 하나님께서는 사람들을 사랑하시고, 죄가 도를 넘어 차고 넘치면 심판도 하신다. 부정과 부패, 탐심과 탐욕이 극에 이르고 죄악이 차고 넘치면 재앙이 임하는 것을, 우리는 인류역사를 통해 얼마든지 볼 수 있었다. 그러므로 지금 이 세상은 하나님께서 사랑하시고 주관하시지만 '그냥 할 짓 다하도록 내버려 두신' 상태에 있다. 그 대신 하나님께서는 독생자 예수 그리스도를 보내시어 저들의 죄를 대속하시고, 저들이 회개하고 돌아오기까지 애타게 기다리시며 돌아오는 자마다 그리스도 예수 안에서 모든 죄를 용서하시고 하나님의 자녀가 되게 해 주신다. 이것이 죄인들을 선으로 대하시는 하나님의 은혜로, 이 은혜는 하나님께서 그리스도 예수 안에서 창세 전부터 계획하신 것이다.

만일 하나님께서 자비와 긍휼을 거두시고 그의 거룩하심을 따라 죄마다 즉각 심판하시고 형벌하신다면, 지금 "전지전능하시며 선하시고 의로우신 하나님이 세상을 주관하신다면, 왜 악이 존재하는가?"라고 질문하는 사람들을 포함해 모든 사람은 이미 심판을 받고 죽었어야 했다. 만일 그랬다면 이 세상은 무인 세상이 되었을 것이고 그것이야말로 사단이 정말 간절히 원하는 바였을 것이다.

이 세상에 왜 악이 존재하느냐? 그 이유는 타락한 사람 때문이며, 사람들을 향한 말할 수 없는 하나님의 사랑과 선하심, 그리고 자비로우심 때문이라고 성경은 말씀하신다. 그래서 하나님께서는 악을 악대로 즉시 처리하지 않으시고, 집나간 둘째 아들이 회개하고 돌아오기를 기다리는 탕자의 아버지처럼 죄인들이 돌아오기를 지금 이 순간에도 간절히 기다리고 계신다.

그러나 성경은 분명히 이 세상의 악은 영원히 존재할 것이 아니라고 예언한다. 이미 살펴본 바와 같이 하나님께서는 세상을 창조하시기 전부터 그리스도 예수 안에서 '그분의 기뻐하시는 뜻'이 있었고, 아직 그 뜻을 이루어 가고 있는 과정에 있다. 언젠가는 하나님의 기뻐하시는 뜻이 완성되는 날이 올 것이다. 그날에는 전지전능하시고 선하시며 의로우신 하나님께서 모든 악을 심판하시고 종결지으실 것이다. 악은 아무리 찾아도 찾을 수 없는 세상이 확실히 올 것이다. 바로 그날, 그러한 세상에서 영생하기를 바라기 때문에 예수님을 믿는 것이다.

그러면 전지전능하신 하나님께서 처음부터 그리스도 예수 안에서 죄 없는 세상과 사람을 만들어 하나님과 영생복락을 누리며 살게 하시지 않고, 왜 이렇게 복잡하고 어려운 과정을 거쳐서 죄 없는 세상을 만들어서 예수 믿는 사람들만 그곳에서 영생복락을 누리며 살도록 하셨을까? 이런 질문도 가져볼 수 있다.

우리 사람의 생각으로는 너무나 당연한 질문이다. 그러나 우리는 보이지 않는 영적 세계와 보이는 물질세계에 대한 하나님의 전체적인 의도와 계획을 모르기 때문에, 이 질문에 대한 올바른 답은 전혀 알 수가 없다. 다만, 선악과 사건에서 살펴본 바와 같이 이는 하나님의 '그 기쁘신 뜻'에 의한 것으로, 우리 피조물이 관여할 수 없는 하나님의 주권에 속한 것이다. 그러므로 바울 사도가 말씀하신 '그 날'까지 기다려야 답이 주어질 것이다.

6. 성도의 고난

질문: 전지전능하시며 선하시고 의로우신 하나님께서 예수 믿는 사람들을 지극히 사랑하신다면, 왜 예수 믿는 사람들에게도 고난이 있는가? 하나님은 왜 그들의 고난을 막아 주시거나 미리 없애 주시지 않는가?

답변: 이 질문은 특히 예수 믿는 사람들에게 뜻밖의 큰 재난이나 고난이 닥쳐오면, 예수를 믿는 사람들이나 믿지 않는 사람들이나 제일 먼저 하는 질문이다. 진정 하나님이 전지전능하시고 선하시며 예수 믿는 사람들을 사랑하신다면, 왜 저런 독실한 그리스도인에게 또는 나에게 이런 재난과 고난을 당하게 하실까? 하나님께서 전지전능하시고 선하시며 의로우시다는 말, 예수 믿는 사람을 사랑하신다는 말은 모두 헛된 거짓말이 아닌가? 이 질문은 상당히 논리적이며 많은 사람에게 걸림돌이 되는 질문이기도 하다.

더러는 "예수 믿으면 범사가 잘 되며 강건하게 된다기에 믿었는데, 이모두 거짓말이 아닌가? 하나님은 없고, 기독교는 사람이 만들어 낸 종교에 불과하다."며 극단적인 결론을 내리고 하나님을 저버리는 사람들도 종종 있다.

그러므로 고난에 대한 바른 이해를 가지고 고난을 지혜롭게 대처하는 그리스도인이 되는 것은, 예수 믿는 모든 사람에게 매우 중요한 사안이다.

사실 사람의 고난은 아담과 하와가 하나님을 떠나면서부터 시작되었다. 즉 죄로부터 시작되어 죄 때문에 계속되었고, 죄로 말미암아 온 세상에 가득하게 되었다. 아담에게 "땅은 너로 인하여 저주를 받고 너는 종신토록 수고하여야 그 소산을 먹으리라. 땅이 네게 가시덤불과 엉겅퀴를 낼 것이라 너의 먹을 것은 밭의 채소인즉 네가 얼굴에 땀이 흘러야 식물을 먹고 필경은 흙으로 돌아가리니…"[창 3:17-19]라고 하신 이 말씀은 하나님을 떠난 사람들의 고난을 단적으로 표현한다. 욥은 "인생은 고난을 위하여 났나니 불티가 위로 날음 같으니라."[욥 5:7]라고 했다. 그러므로 고난은 일반적이어서 고난 없는 사람은 한 사람도 없다.

예수 믿는 사람들에게도 고난은 있고 오히려 더욱 많을 수도 있다. 아니, 진정한 그리스도인이라면 "우리가 하나님 나라에 들어가려면 많은 환난을 겪어야 할 것이라."[행 14:22]고 바울 사도가 말한 것처럼, 고난이 더 많아야 한다. 바울 사도 자신도 율법에 허락된 최대 태형인 사십에서 한 대를 감한 삼십구대를 다섯 번씩이나 맞는 고난을 겪었다. 이런 고난은 그가 예수를 믿지 않았다면 받지 않았을 고난이었다. 예수님을 철저하게 믿는 사람이 되었기 때문에 받은 심한 고난이었다. 이 사실을 예수님께서는 이미 이렇게 예언하셨다. "누구든지 나를 따라오려거든 자기를 부인하고 자기 십자가를 지고 나를 좇을 것이니라."[마 16:24] 예수님을 믿는 길은 고난의 길이요, 십자가의 길이며, 희생과 죽음의 길이다. 그러나 멸망과 수치의 길이 아니고, 승리와 영광의 길이다. 예수님은 고난을 앞둔 제자들을 향해 이렇게 말씀하셨다.

"세상에서는 너희가 환난을 당하나 담대하라. 내가 세상을 이기었노라."[요 16:33] 즉, 세상을 이기신 예수님께서 성령으로 예수 믿는 사람들 속에 거하시며 세상을 이기시고 영광을 받으신 것처럼, 예수 믿는 사람들도 세상을 이기게 하시고 영광스럽게 하신다는 것이다. 하나님께서는 고난을 없애 주시거나 미리 막아 주시는 것이 아니라, 하나님의 자녀들과 함께 고난을 지나시며 도와주셔서 그들로 하여금 고난을 이기고 승리하여 영광스러운 자녀가 되게 하신다. 온실에서 자라는 나약한 한 포기의 꽃나무가 되기보다는, 수천 년 눈비를 맞으며 자란 거목처럼 되게 하신다. 이와 같은 하나님의 섭리를 배경으로 좀 더 구체적으로 고난의 의미를 살펴보자.

첫째로 고난은 하나님의 자녀를 정금같이 나오게 한다.

욥기 23장 10절은, "나의 가는 길을 오직 그가 아시나니 그가 나를 단련하신 후에는 내가 정금같이 나오리라"고 했다.

욥은 갑작스러운 재앙으로 열 자녀가 모두 죽고 그렇게 많던 재산도 모두 잃었으며, 온몸에 악창이 나자 아내도 떠났다. 여기서 욥이 말하는 단련은 바로 이러한 극심한 고난을 의미한다. 그러므로 성경은 고난은 성도를 단련하는 풀무와 같아서 단련이 끝나면 정금같이 나오게 한다고 말씀한다.

욥은 이토록 극단적인 고난이 닥쳐왔을 때, 오히려 그 고난을 하나님을 굳게 믿는 믿음으로 승화시켰다. 그리고 그 고난을 통하여 하나님을 믿는 욥의 믿음이 정금같이 되어 온 천하 만민과 하나님 앞에 아름답게 나타나게 되었다. 만일 그 고난이 없었다면 욥의 믿음은 정금같이 되어 나타나 보이지 않았을 것이다. 성경은 이유를 모르는 고난이 닥쳐와도 욥과 같이 하나님을 굳게 믿는 믿음으로 고난을 이기면, 정금같이 아름답게 빛나는 하나님의 자녀가 될 것이라고 말씀하고 있다.

둘째로 고난은 하나님의 자녀로 하나님만 의뢰하게 한다.

> [고후 1:8-9] 형제들아 우리가 아시아에서 당한 환난을 너희가 알지 못하기를 원치 아니하노니 힘에 지나도록 심한 고생을 받아 살 소망까지 끊어지고, 우리 마음에 사형 선고를 받은 줄 알았으니 이는 우리로 자기를 의뢰하지 말고 오직 죽은 자를 다시 살리시는 하나님만 의뢰하게 하심이라

하나님의 자녀들이 인생을 바로 사는 최상의 길은 하나님만 전적으로 의지하며 사는 길이다. 하나님으로부터 멀리 가면 갈수록 위험하고 마귀에게 큰 고통을 당할 수 있다.

그러므로 하나님의 자녀들이 하나님보다 자신을 더 신뢰하고 교만해져

서 점점 하나님으로부터 멀어지면 고난이 임하고, 그들이 고난을 통하여 하나님을 찾고 하나님께로 돌아와서 하나님을 의지하며 평안과 축복 가운데 살도록 하신다. 고난은 하나님께서 하나님의 자녀들을 안전하게 지키시는 철조망이다.

셋째는 고난은 하나님의 자녀에게 하나님의 율례를 배우게 한다.

> [시 119: 67, 71] 고난당하기 전에는 내가 그릇 행하였더니 이제는 주의 말씀을 지키나이다, (71) 고난당한 것이 내게 유익이라 이로 인하여 내가 주의 율례를 배우게 되었나이다

이 말씀은 고난은 하나님의 말씀을 배우고 순종하게 하는 좋은 선생님과 같다는 말씀이다. 시편 1편 말씀대로 복 있는 자는 오직 여호와의 율법을 즉 말씀을 즐거워하여, 그 말씀을 주야로 묵상하는 자다. 그러므로 하나님의 자녀들이 하나님의 말씀을 배우고 묵상하며 순종하기를 즐겨하지 않으면, 고난을 통하여 하나님의 말씀이 진리임을 깨닫게 하시고 하나님의 말씀을 순종하지 않았던 것을 후회하며 돌아와 말씀을 가까이 하는 복된 자녀들이 되게 하신다.

넷째로 고난은 하나님의 자녀를 비범하게 한다.

바울 사도가 받은 형언할 수 없는 수많은 고난은, 바울 사도를 사도 중의 사도요 전무후무한 영광스런 이방인의 사도로 만드시는 하나님의 손길이었다. 그 고난 없이는 사울이라는 청년이 바울이라는 사도가 될 수 없었다.

다섯째로 그리스도와 함께하는 영광스런 고난이 있다.

> [롬 8:17-18] 자녀이면 또한 후사 곧 하나님의 후사요 그리스도와 함께한 후사니 우리가 그와 함께 영광을 받기 위하여 고난도 함께 받아야될 것이니라, 생각건대 현재의 고난은 장차 우리에게 나타날 영광과 족히 비교할 수 없도다

이 말씀은 성도들이 하나님의 자녀로서 그리스도와 함께 후사가 되기

위하여 받는 고난이 있다는 것이다. 이 고난은 특별히 하늘나라에서 큰 영광을 안겨주는 복된 고난이다. 오늘날에는 특별한 경우를 제외하고는 초대 교회 성도들이 받았던 것과 같은 극심한 고난은 별로 찾아보기 어렵지만, 그래도 예수 믿는 사람들이 하나님을 진심으로 사랑하고 교회와 복음을 위하여 헌신할 때 나름대로 자기 십자가를 져야 하는 고난이 닥쳐온다. 이 같은 고난은 족히 비교조차 할 수 없는 하늘나라에서의 영광을 가져오는 고난이므로 어렵고 힘들어도 힘써 고난을 이겨내야 한다.

여섯째로는 죄 때문에 오는 고난이 있다.

다윗은 하나님의 축복으로 목동에서 이스라엘의 왕이 되었다. 그러나 나라가 부강해지고 태평성대를 누리게 되자 게을러지고 교만해 져서 부하 군병들은 나라를 위하여 전쟁터에서 싸우는데, 자기는 편안한 궁궐에서 부하 장군의 아내와 동침하는 죄를 범했다. 이로 인하여 다윗은 아들 압살롬의 반역으로 말할 수 없는 수치와 고난을 당했다. 이는 그의 죄 때문이었다.

오늘날도 예수님을 믿는 사람들이라도 죄를 지으면 어떤 형태로든지 고난이 임한다. 이와 같은 경우에는 속히 회개하여야 한다. 죄를 계속 품고 행하면 고난은 계속된다. 이것이 하나님의 자녀들을 정결하게 하시는 하나님의 방법이다.

일곱째로는 성품의 결함 때문에 오는 고난이 있다.

모세는 과격한 성품의 소유자로 혈기가 많았다. 그래서 애굽 사람이 이스라엘 사람을 학대하는 것은 보고 분노를 참지 못하고 그 애굽 사람을 쳐 죽였다. 이 때문에 애굽왕 바로가 모세를 죽이고자 하여 모세는 미디안 광야로 피신할 수밖에 없었고, 그곳에서 양치는 목자가 되어 사십 년을 고생하며 연단을 받았다.

오늘날도 예수님을 믿는 사람이라도 성품의 결함 때문에 오는 고난이 있다. 과격한 성품과 혈기, 부족한 절제력, 끊임없이 남을 비방하는 습성, 게으름과 미루는 성품, 교만하고 차가운 성품 등으로 인하여 오는 고난이 종종 있다. 그러므로 고난이 올 때 왜 이런 고난이 내게 왔는가를 기도하며 찾아서, 성품의 결함에서 유래된 고난이면 회개하고 속히 그 원인이 되는 성품의 결함을 고쳐야 한다.

여덟째로는 이유를 알 수 없는 고난이 있다.

이런 고난은 대부분이 그 진상을 알기까지 세월이 오래 걸리거나, 이 세상에 사는 동안에는 그 이유를 알 수 없는 고난이다.

몇 년 전에 있었던 일이다. 심히 어려운 환경 중에도 성심껏 하나님을 섬기며 목회하시던 목사님 내외가, 사역 중 교통사고로 급작스럽게 어린 자녀 세 명을 두고 세상을 떠나셨다. 떠나신 목사님 내외분을 향한 애석한 마음은 물론 이거니와, 남은 세 자녀가 헤쳐가야 할 고난과 역경을 생각하면 이런 고난은 누구라도 이해가 쉽지 않을 것이다.

"정말 전지전능하시며 선하시고 의로우신 하나님이 예수 믿는 사람들을 독생자를 주시기까지 사랑하신다면 왜 예수 믿는 사람들에게도 이런 이해할 수 없는 극심한 고난이 임하는가?" 질문할 수밖에 없다. 너무나 당연한 질문이나 정답은 모른다. 오직 서로 다른 믿음의 반응이 있을 뿐이다.

"이는 도저히 있을 수 없는 일이다. 정말 하나님이 있다면, 하나님은 전지전능하시지도 않고, 하나님은 사랑의 하나님도 아니며, 선하시고 의로우신 분도 아니다. 아니면 하나님은 없는데 사람이 약하기 때문에 의지가 필요해서 있다고 주장하고 믿을 뿐이다."라고 반응하거나, "아! 모르겠다." 하고 자포자기할 수도 있다. 또는 매우 긍정적으로, "내게 이런 도저히 이해할 수 없는 고난이 닥쳐왔지만, 하나님은 여전히 정말 전지전능하시며, 선하시고, 의로우시며, 예수 믿는 사람들을 독생자를 주시기까지 사랑하신다. 하나님은 천지의 주재시며 그리스도인들에게 결코 우연은 없다. 나는 이 고난의 의미는 모르지만, 하나님께서 내가 모르는 무슨 선한 의도를 가지신 것이 확실하다. 지상에 사는 동안에 알려주시지 않으면 천국에서 알려주실 것이다. 설사 마귀의 시험이라 할지라도 하나님은 모든 것을 합력하여 선이 되게 하실 것을 믿는다. 그때까지 최선을 다하여 이 고난을 견뎌 승리하고 하나님께 영광을 돌리는 사람이 되자."라고 반응할 수도 있다.

이런 반응을 하기가 쉽지는 않지만, 이런 믿음이야말로 예수님을 믿고 하나님을 믿는 성도들의 올바른 신앙이다. 많은 믿음의 선배들이 이런 믿음으로 살았고, 오늘날에도 이 같은 믿음으로 이름도 빛도 없이 주님을 섬기는 사람들이 지구촌 곳곳에 많을 것으로 믿는다.

이 외에도 또 다른 형태로 성도들에게 임하는 고난들이 있을 수 있다. 하지만 성도들에게 임하는 고난에는 모두 하나님의 강력한 선한 의도가 있다는 것을 믿고, 자신에게 임하는 고난이 하나님의 섭리 가운데 있다는 것을 재빨리 깨달아 하나님 뜻에 순종하며 그 뜻을 이루도록 노력해야 한다. 누구에게나 임할 수 있는 고난이지만 나만은 비켜갈 것이라는 교만은 버려야 한다.

예수 믿는 사람들은 하나님께서 독생자를 아끼시지 않고 십자가에 대속물로 내어 주시면서 까지 사랑하여 구원하신 하나님의 자녀들이다. 하나님 보시기에 얼마나 사랑스럽고 존귀한 존재인가! 또한, 하나님은 전지전능하시며 선하시고 의로우신 사랑의 본체시다. 그러므로 하나님은 우리의 고난을 아실뿐만 아니라, "내가 세상 끝날까지 항상 너희와 함께 있으리라."고 약속하신 대로 그 어떠한 고난에도 끝까지 우리와 함께 하신다. 뿐만 아니라, "우리가 알거니와 하나님을 사랑하는 자 곧 그 뜻대로 부르심을 입은 자들에게는 모든 것이 합력하여 선을 이루느니라."[롬8:28]는 말씀대로 이 세상이 아니면 천국에서라도 반듯이 선을 이루신다. 그러므로 하나님을 굳게 믿는 믿음으로 끝까지 견디면, 고난은 성도들에게 놀라운 축복으로 바뀔 것이다.

감사와 부탁의 말씀

　　본서를 끝까지 읽어주셔서 감사합니다. 축하합니다. 이 책을 읽고 예수님을 구원의 주님으로 영접하셨기를 바랍니다. 그렇다면 다음에 이어지는 '하나님의 구원 생활 편'도 꼭 공부하시기 바랍니다. 평생 신앙생활에 많은 유익이 될 것입니다. 이 생활 편 교재는 아래의 웹사이트에서 무료로 내려받을 수 있습니다.

　　또한, 귀하께서 읽으신 이 책을 주위의 여러 분에게 소개해 주시고, 읽을 수 있도록 직접 전달하여 주시기 바랍니다. 본서 또한 아래의 웹 사이트에서 무료로 내려받을 수 있으니 친지와 이웃에게 많이 전해 주십시오. 귀하의 수고로 한 영혼이라도 하나님의 구원을 받을 수 있게 된다면, 이는 하나님께서 진실로 기뻐하시는 제자사역의 첫걸음이 될 것입니다. 책을 읽으신 소감이나 궁금하신 점, 하시고 싶은 말씀 등을 아래의 이메일 주소로 보내 주시면 더욱 감사하겠습니다.

　　본서를 책으로 전하기를 원하시면 서점이나 인터넷 서점에서 구입하실 수 있습니다. 혹 성령님의 감동으로 이 문서 사역에 동참하시기를 원하시는 분들은 아래 이메일로 연락주시면 감사하겠습니다. 진심으로 감사합니다.

이지춘 목사

하나님의 구원 문서 선교회
New Vision Church
1201 Montague Expy, Milpitas, CA 95035, USA
www.newvisionchurch.org
SalvationOfGod@newvisionchurch.org